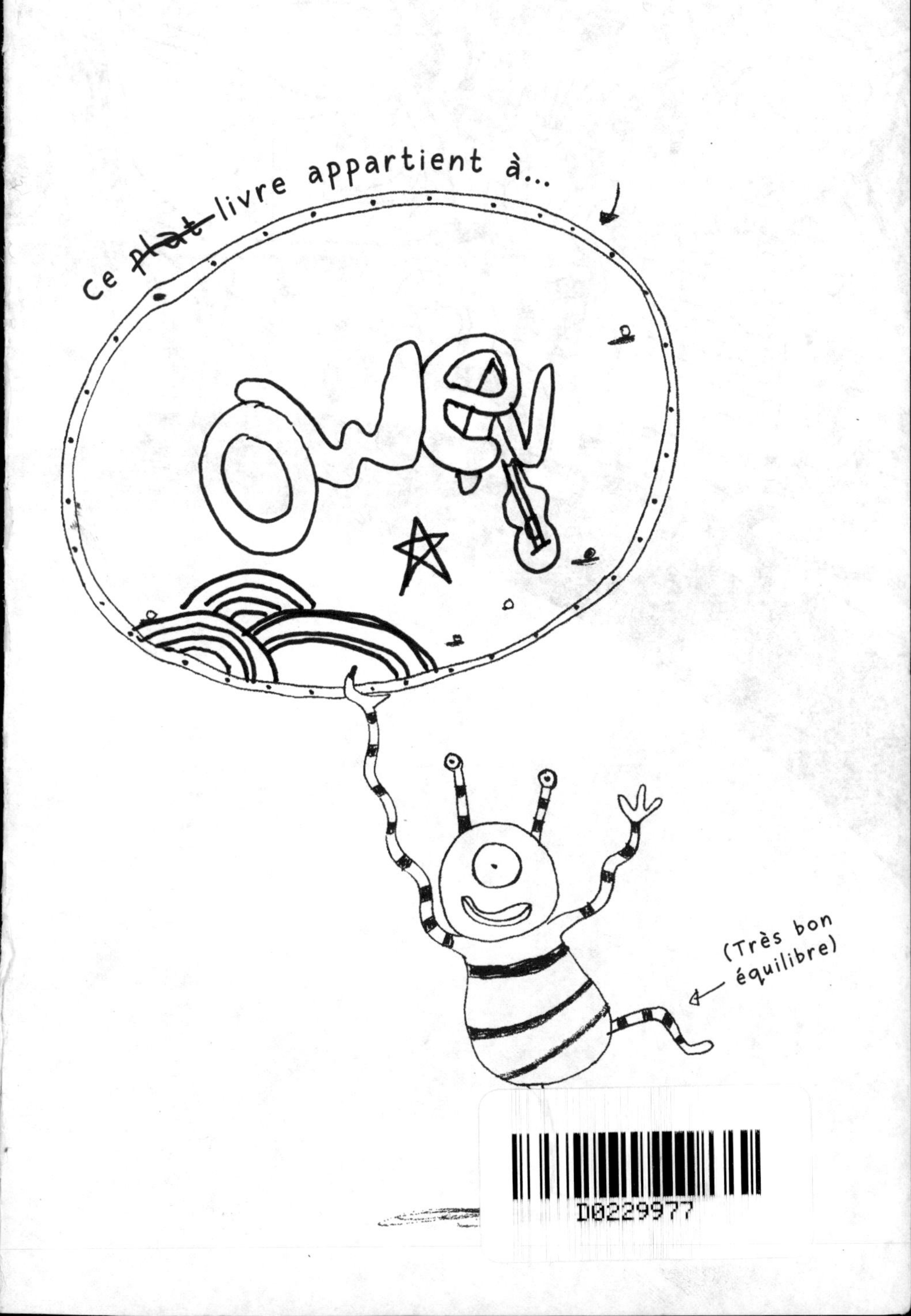
Ce ~~plat~~ livre appartient à...
(Très bon équilibre)

LIZ PICHON
TROP TOP
(pas vrai ?)
Traduit de l'anglais par Natalie Zimmermann
Équilibre de gaufrettes (nouveau sport)

Déjà parus :

Tom Gates, c'est moi !
2012

Excuses béton (et autres bons plans)
2012

Tout est génial ! (ou presque…)
2013

Édition originale publiée en 2012 sous le titre
Tom Gates, Genius Ideas (mostly)
par Scholastic Children's Books,
une marque de Scholastic Ltd
Euston House, 24 Eversholt Street
London, NW1 1DB, UK

ISBN : 979-10-235-0134-6

Mise en page : Anne-Cécile Ferron

Conforme à la loi n° 49-956 du 16 juillet 1949
sur les publications destinées à la jeunesse.
www.seuil.com

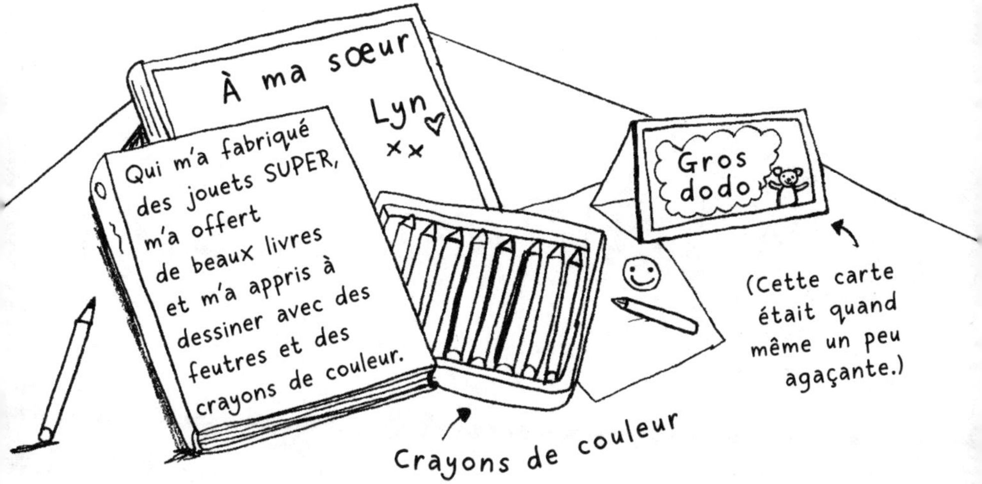

À ma sœur

Qui m'a fabriqué des jouets SUPER, m'a offert de beaux livres et m'a appris à dessiner avec des feutres et des crayons de couleur.

Lyn ♡
xx

Gros dodo

(Cette carte était quand même un peu agaçante.)

Crayons de couleur

C'EST

TROP TOP

Un **FLIP BOOK**

à l'intérieur d'un livre.

Regarde la bestiole danser.

« Si mon écriture est un peu « TREMBLOTÉE »
« c'est parce que je viens de recevoir un »
TERRIBLE
CHOC!

ALORS,
pour m'aider à faire
baisser
la pression, je cherche les
BISCUITS
D'URGENCE
TRÈS SPÉCIAUX
que je cache sous mon lit.
(Il s'agit bien d'une urgence.)

Miettes de biscuits

OUF ! Ça va mieux !

Bon, il faut que j'explique ce qui est arrivé. J'étais dans la salle de bains et je faisais semblant de prendre ma douche en lisant mon journal de BD (comme toi).

Et puis QUELQU'UN a COGNÉ vraiment fort à la porte.

J'ai supposé que c'était ma sœur, Délia...

... et j'ai fait comme si de rien n'était.

Mais elle a recommencé...

... encore...

... et encore.

Le **bruit** était **vraiment** pénible. Mais j'ai quand même réussi à lire mon journal jusqu'au BOUT, TRÈS lentement.

ENFIN, une fois la dernière page terminée, j'ai ouvert la porte avec beaucoup de précaution.

Je m'attendais à ce que Délia me HURLE dessus pour avoir mis si longtemps.

Mais je ne m'attendais pas à **ça**.

Grrrrrrrr

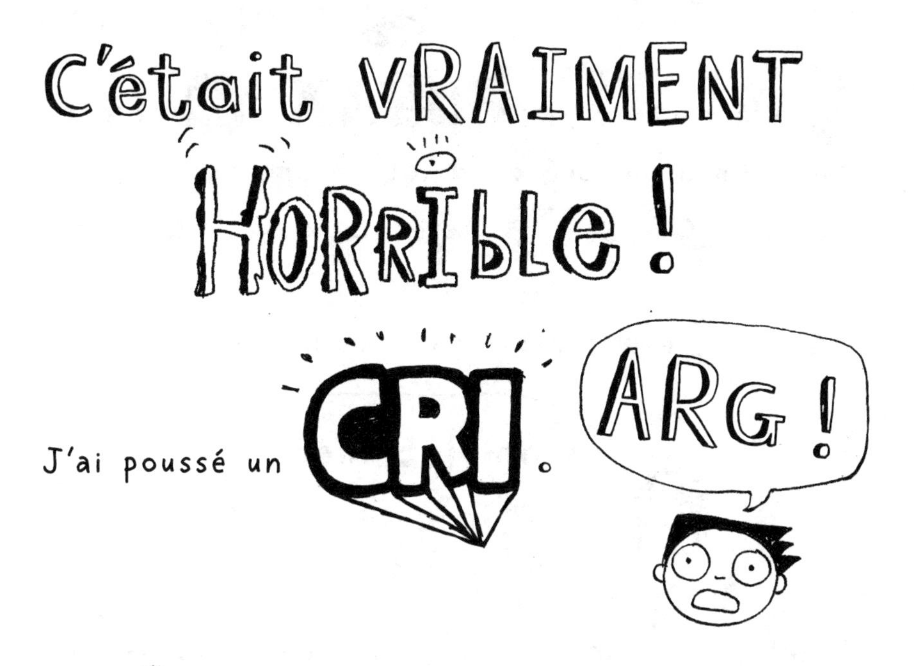

Papa est sorti de sa chambre en courant pour voir ce que c'était que ce **boucan**.

Il a demandé :

– Qu'est-ce qui se passe, ici ?

– C'est Délia, j'ai répondu. Elle fait "**PEUR**" sans ses ← lunettes noires !

Alors, papa a dit que ce serait SYMPA de pouvoir passer rien qu'UNE matinée sans être **dérangé** par nos DISPUTES.

Ça a rendu Délia **FURAX**, et elle m'a montré du doigt en protestant que c'était MOI qui étais « DÉRANGÉ ».

Ensuite, elle a dit à papa qu'il avait l'air

Avant de disparaître dans la salle de bains en

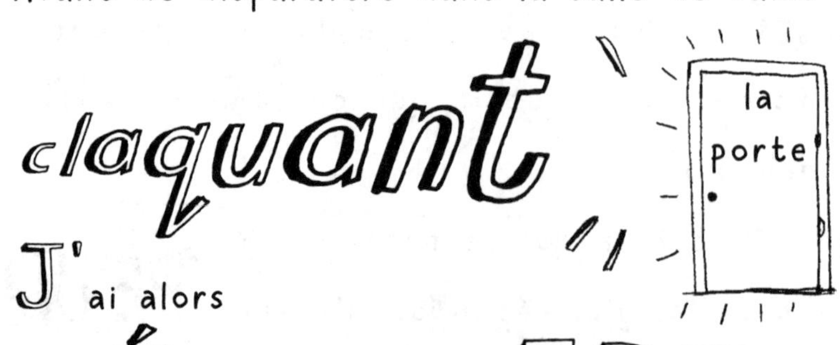

claquant la porte

J'ai alors

DÉCOUVERT

ce que papa portait.

Un short de cycliste bleu
VIF.
J'en suis resté sans voix.

Je n'arrivais pas à déterminer ce qui était le PIRE :

Délia sans ses lunettes ou papa en short de cycliste ? Maman ne m'a pas beaucoup aidé. Elle est montée et a CRIÉ :

– Pourquoi faut-il que tout le monde CRIE ?

Aussitôt suivi par :

– Et qu'est-ce que tu as sur les fesses ?

Papa a fait remarquer que, si quelqu'un criait, c'était elle, et que le short faisait partie de son

nouveau programme de remise en forme, soigneusement élaboré.

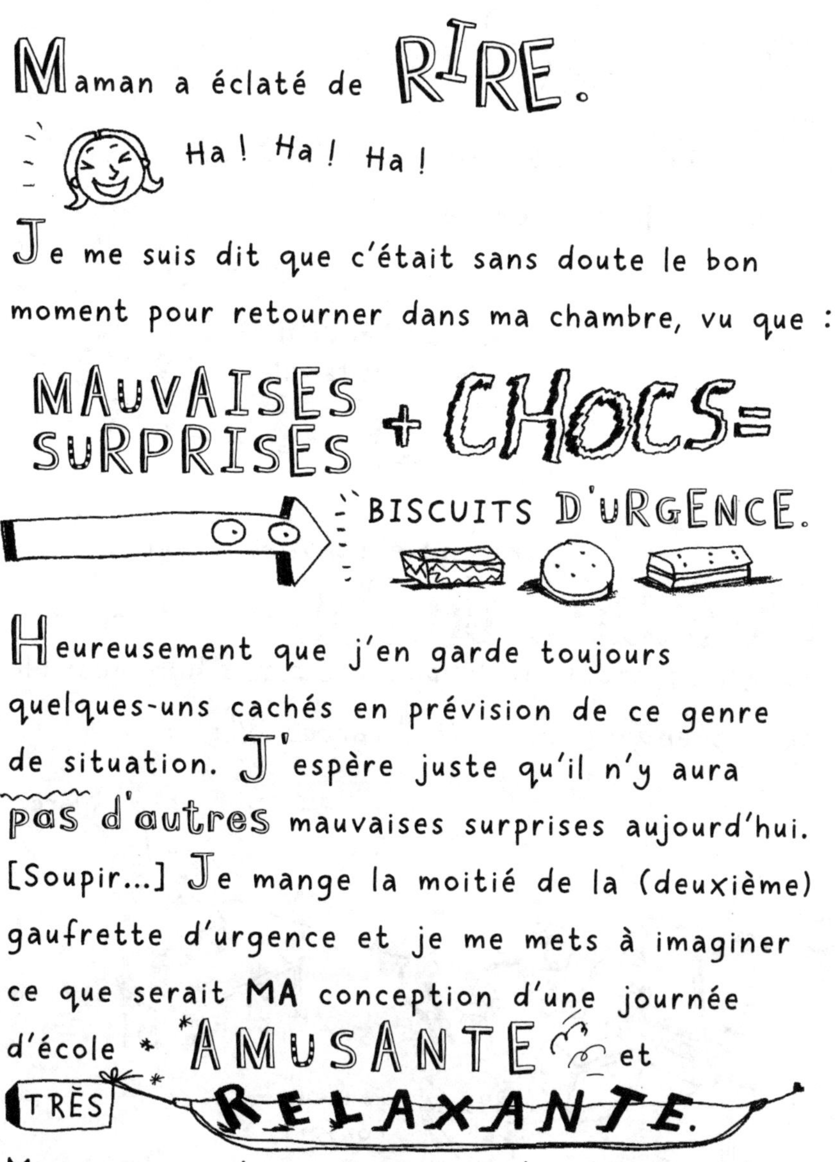

Maman a éclaté de RIRE.

Ha ! Ha ! Ha !

Je me suis dit que c'était sans doute le bon moment pour retourner dans ma chambre, vu que :

MAUVAISES SURPRISES + CHOCS = BISCUITS D'URGENCE.

Heureusement que j'en garde toujours quelques-uns cachés en prévision de ce genre de situation. J'espère juste qu'il n'y aura pas d'autres mauvaises surprises aujourd'hui. [Soupir...] Je mange la moitié de la (deuxième) gaufrette d'urgence et je me mets à imaginer ce que serait MA conception d'une journée d'école AMUSANTE et TRÈS RELAXANTE.

Mmmmmmm... je crois que ça donnerait quelque chose comme ça...

M. Fullerman est RAVI de me voir
(même si je suis en retard).
Bonjour, Tom,
c'est FORMIDABLE
de te voir.
J'ai une table et un fauteuil
CONFORTABLE rien qu'à moi
et qui se trouvent le plus loin possible
de cet enquiquineur de Marcus Meldrou.
Marcus
Très loin
Planque
de bonbecs
Fauteuil
confort

Les matières sont EN OPTION, et je peux donc choisir ce que j'ai envie de faire (fastoche).

Mlle Paille, notre nouvelle prof d'arts plastiques trop SYMPA, veut absolument que je fasse un TRAVAIL artistique sur les...

Je m'amuse à les empiler pour faire des tours avant de prendre TOUT MON TEMPS pour les dessiner et les colorier. Mlle Paille est TRÈS impressionnée et me laisse manger DEUX gaufrettes tout de suite.

J'ai ENSUITE le droit de prendre l'emballage de toutes les autres gaufrettes pour effectuer un collage franchement intéressant.

(Je garde les gaufrettes pour les manger plus tard.)

Je suis d'accord.

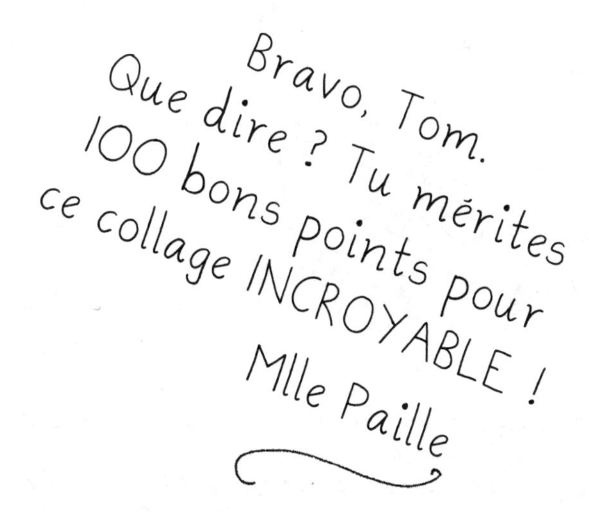

Je montre mes 100 bons points à Marcus, qui devient vert de jalousie.

Puis la journée devient encore plus cool. Je déjeune avec des amis à la cantine, où des plats DÉLICIEUX sont servis par...

... les profs.

Je déjeune dans le coin le plus agréable de la cantine (pour changer). J'ai le droit de reprendre du dessert,  et ensuite je me repose, les pieds en l'air, avant le cours suivant.

Ce qui est ABSOLUMENT GÉNIAL.

(En plein air – parce qu'il fait BEAU pour ma journée parfaite.)

Toute la classe m'aide à disposer des centaines de GAUFRETTES sur une très longue rangée qui fait le tour de l'école. Puis je *POUSSE* la première gaufrette, qui fait tomber toutes les autres une par une, et c'est SUPER à regarder (comme des dominos).

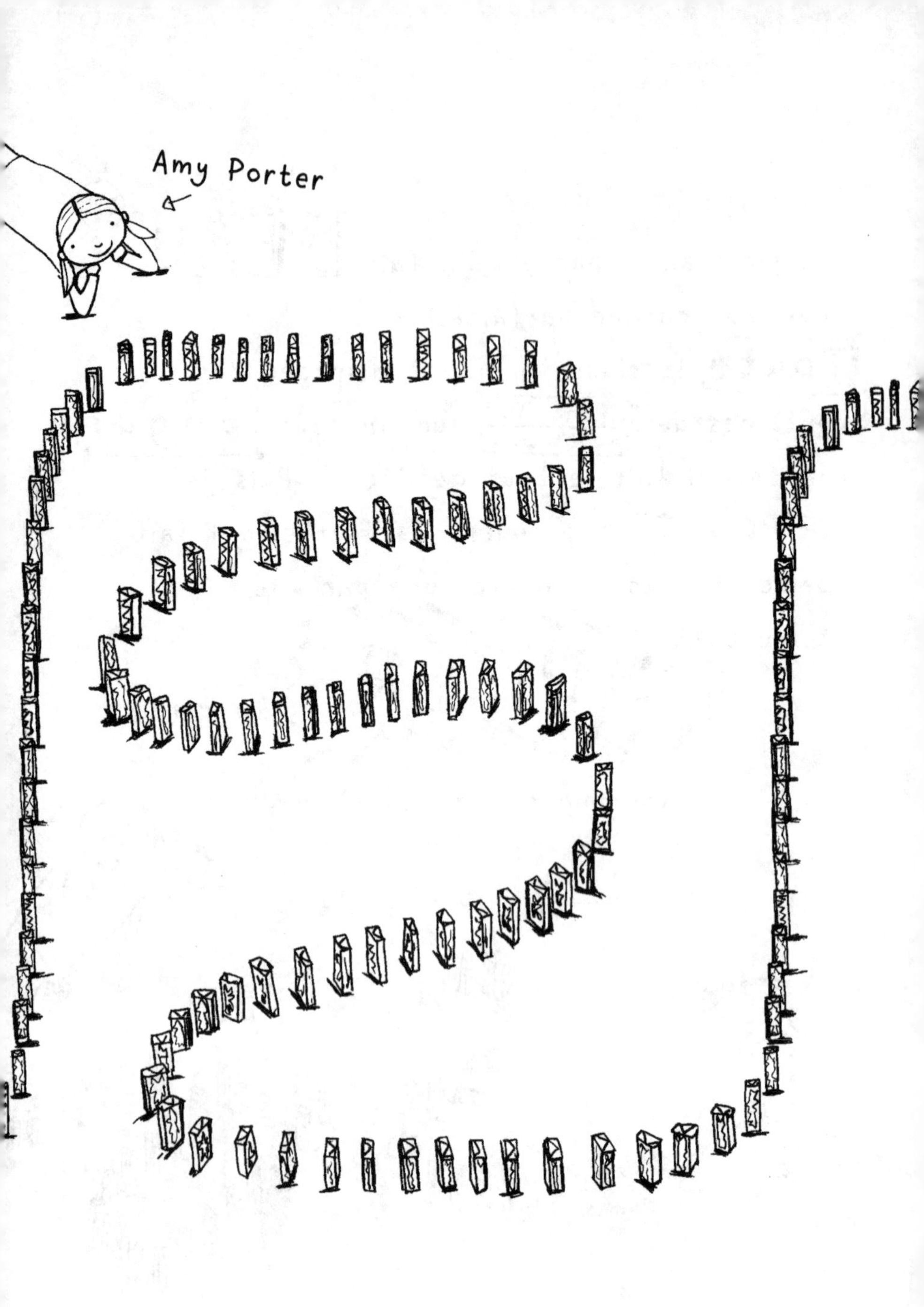
Amy Porter

(Et tout le monde peut en manger.)

Ensuite, M. Fullerman nous annonce que, pour nous faire plaisir, c'est... RODEO 3 MEILLEUR GROUPE de TOUS LES TEMPS, qui

Ils arrivent dans leur GIGANTESQUE bus de tournée

trop cool et ils font un concert devant **toute** l'école. Comme Derek (mon meilleur pote) et moi, on est les PLUS GRANDS FANS de RODEO 3, on nous fait monter sur scène avec eux pour les accompagner avec nos guitares sur **tous** les morceaux qu'on connaît.

Les RODEO 3 NOUS félicitent d'être aussi bons. Et, du coup, Marcus fait une drôle de tête :

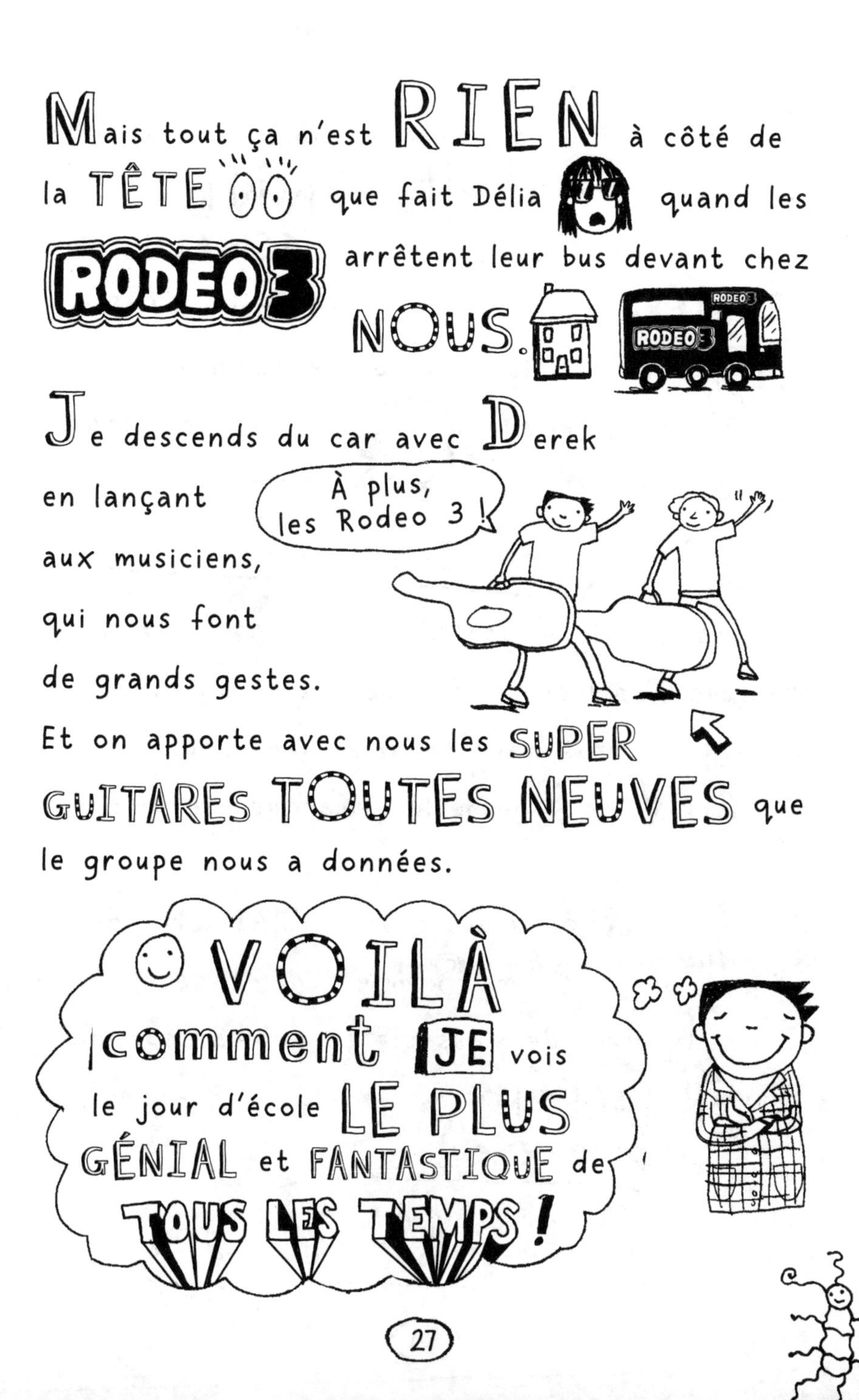

Mais tout ça n'est RIEN à côté de la TÊTE que fait Délia quand les RODEO 3 arrêtent leur bus devant chez NOUS.

Je descends du car avec Derek en lançant « À plus, les Rodeo 3 ! » aux musiciens, qui nous font de grands gestes.

Et on apporte avec nous les SUPER GUITARES TOUTES NEUVES que le groupe nous a données.

VOILÀ comment JE vois le jour d'école LE PLUS GÉNIAL et FANTASTIQUE de TOUS LES TEMPS !

En fait...  on ne sait jamais : peut-être qu'aujourd'hui sera une BONNE journée quand même. Comme la **SEMAINE DERNIÈRE**, quand on a eu assemblée générale (que je n'attendais pas avec impatience) et que Mme Somme  nous a posé à tous une question.

Qui peut me dire quel mois et quelle année nous sommes ?

Avant que je puisse LEVER  la main, Marcus Meldrou a carrément fait un BOND en agitant les bras dans tous les sens pour être sûr que Mme Somme le remarque. Ce qu'elle a fait.

Mais c'est devenu **VRAIMENT** drôle quand Mme Somme a demandé à Marcus de s'asseoir et qu'il a répondu BIEN FORT, sans le faire exprès,

OUI, Maman.

Il n'a pas compris pourquoi on se MARRAIT tous comme ça. Mme Somme a dû le reprendre :

C'était HILARANT !

J'ai BEAUCOUP ri, ce jour-là. Mais, pour **LE MOMENT**, si les parents voient à quel point je suis en retard, je vais avoir des problèmes. Heureusement, je ne suis pas certain qu'ils le remarqueront. J'entends encore Ma Mère ricaner **À CHAQUE FOIS** qu'elle prononce les mots programme de remise en forme, comme si c'était la blague la plus MARRANTE qu'elle ait jamais entendue.

Il y a toutes les chances qu'il débarque à l'école ou, **ENCORE PIRE**, chez mes copains avec des fringues qui filent ENCORE plus la honte que **CE SHORT DE CYCLISTE BLEU VIF.**

SI C'EST POSSIBLE ?

Je descends l'escalier en douce et avale vite fait quelque chose avant de m'apercevoir que je suis vraiment en retard pour l'école. Maman est toujours occupée à l'étage.

(Maman occupée.)

Je pourrais monter lui demander de me faire un MOT D'EXCUSE pour M. Fullerman, ce qui m'épargnerait sûrement des ennuis ?

Mais **pourquoi** prendre cette peine alors qu'il est

TELLEMENT plus simple...

... d'en écrire un moi-même.

(Trop top comme idée.)

Cher monsieur Fullerman

Ce matin, ce pauvre Tom a subi un choc ÉPOUVANTABLE quand sa ~~débile~~ ~~saleté de~~ sœur lui a fait la peur de sa vie. Je suis désolée qu'il soit en retard à l'école. Nous avons prévenu sa sœur qu'elle ne doit plus lui faire peur (ni rien d'autre).
Du fait de ce CHOC, Tom aura peut-être du mal à se concentrer sur des problèmes de maths trop compliqués aujourd'hui. C'est juste pour vous tenir au courant.

Merci,

Rita Gates

Et voilà le travail !

(Avec un peu de chance, M. Fullerman ne soupçonnera rien. Je n'ai pas parlé du short de papa car ça aurait été trop long à expliquer.)

Papa descend et se met à faire des **étirements** bizarres.

Maman me CRIE d'en haut :

Tu n'es pas encore parti, Tom ?

Alors je dis SALUT rapido à papa et lui rappelle que j'irai peut-être chez Norman pour qu'on répète après les cours.

– Norman n'habite pas très loin. Je pourrais faire un saut pour passer te prendre ? propose-t-il.

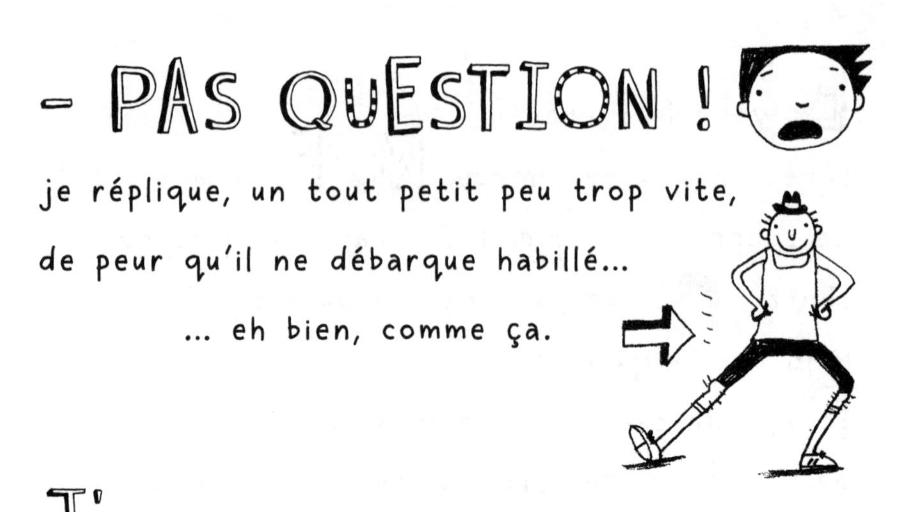

– PAS QUESTION !

je réplique, un tout petit peu trop vite, de peur qu'il ne débarque habillé...

... eh bien, comme ça.

J'explique que le père de Derek doit déjà venir nous chercher.

– Tout est réglé, ne t'en fais pas, papa.

Derek ne m'attend pas dehors : il est déjà parti à l'école. Je me mets donc en route avec mon MOT D'EXCUSE bien RANGÉ dans mon cartable.

En passant devant le magasin, l'idée me vient de M'ARRÊTER acheter un petit TRUC à manger. (Pourquoi pas ?)

Je mets un petit moment à choisir. Mais comme j'ai un MOT d'excuse [signé], j'espère que M. Fullerman le lira et dira **C'est bon, Tom.** et qu'il me laissera tranquille.

Si ce n'est pas le cas, j'aurai au moins mes caramels aux fruits à manger.

Je croise les doigts..

Quand j'arrive enfin à l'école, il n'y a personne dans les parages. C'est SUPER silencieux PARTOUT. À part dans la classe de Mme Somme, d'où

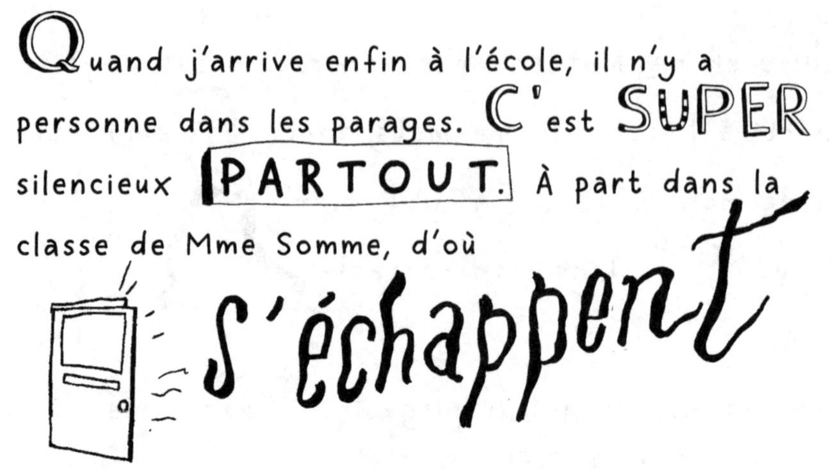

s'échappent

des bruits bizarres par la porte entrouverte.

On dirait...

DES CHATS HURLANT DE DOULEUR.

Oouououuuuuu

Ouaouuuuuuu

Je m'approche et jette un petit coup d'œil à l'intérieur de la salle.

C'est Mme Somme.

Elle a l'air de faire TOUT l'appel en chantant.

Pire encore, Mme Somme oblige ses élèves à répéter leur nom en chantant eux aussi.

Un par un, ce qui est carrément DOULOUREUX pour les oreilles.

Mais Mme Somme se montre toujours aussi enthousiaste quand elle chante.

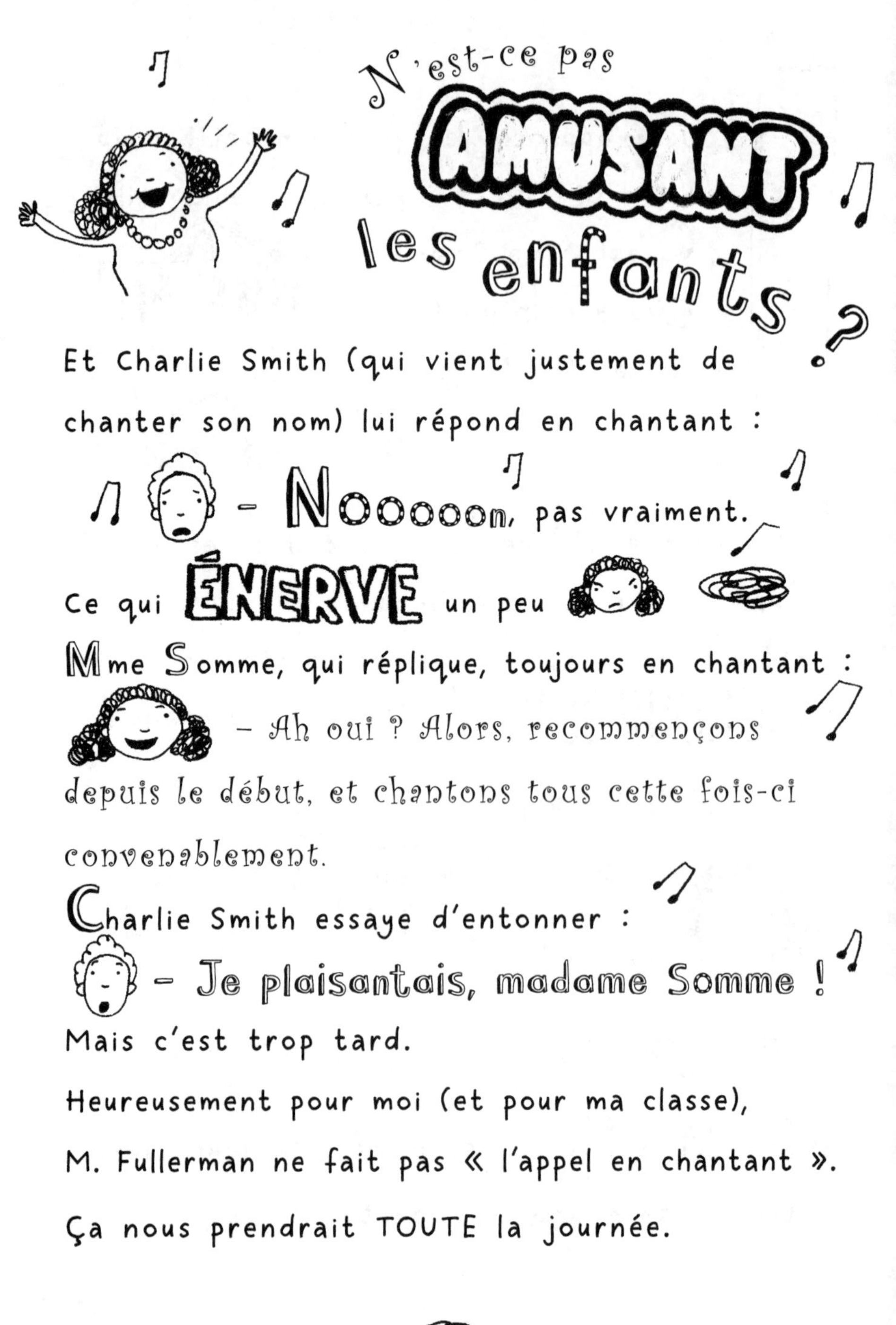

Et Charlie Smith (qui vient justement de chanter son nom) lui répond en chantant :

– Noooooon, pas vraiment.

Ce qui ÉNERVE un peu Mme Somme, qui réplique, toujours en chantant :

– Ah oui ? Alors, recommençons depuis le début, et chantons tous cette fois-ci convenablement.

Charlie Smith essaye d'entonner :

– Je plaisantais, madame Somme !

Mais c'est trop tard.

Heureusement pour moi (et pour ma classe), M. Fullerman ne fait pas « l'appel en chantant ».

Ça nous prendrait TOUTE la journée.

Je suis TELLEMENT occupé à regarder dans la classe que je n'entends pas Mme Marmone arriver derrière moi. Elle dit :

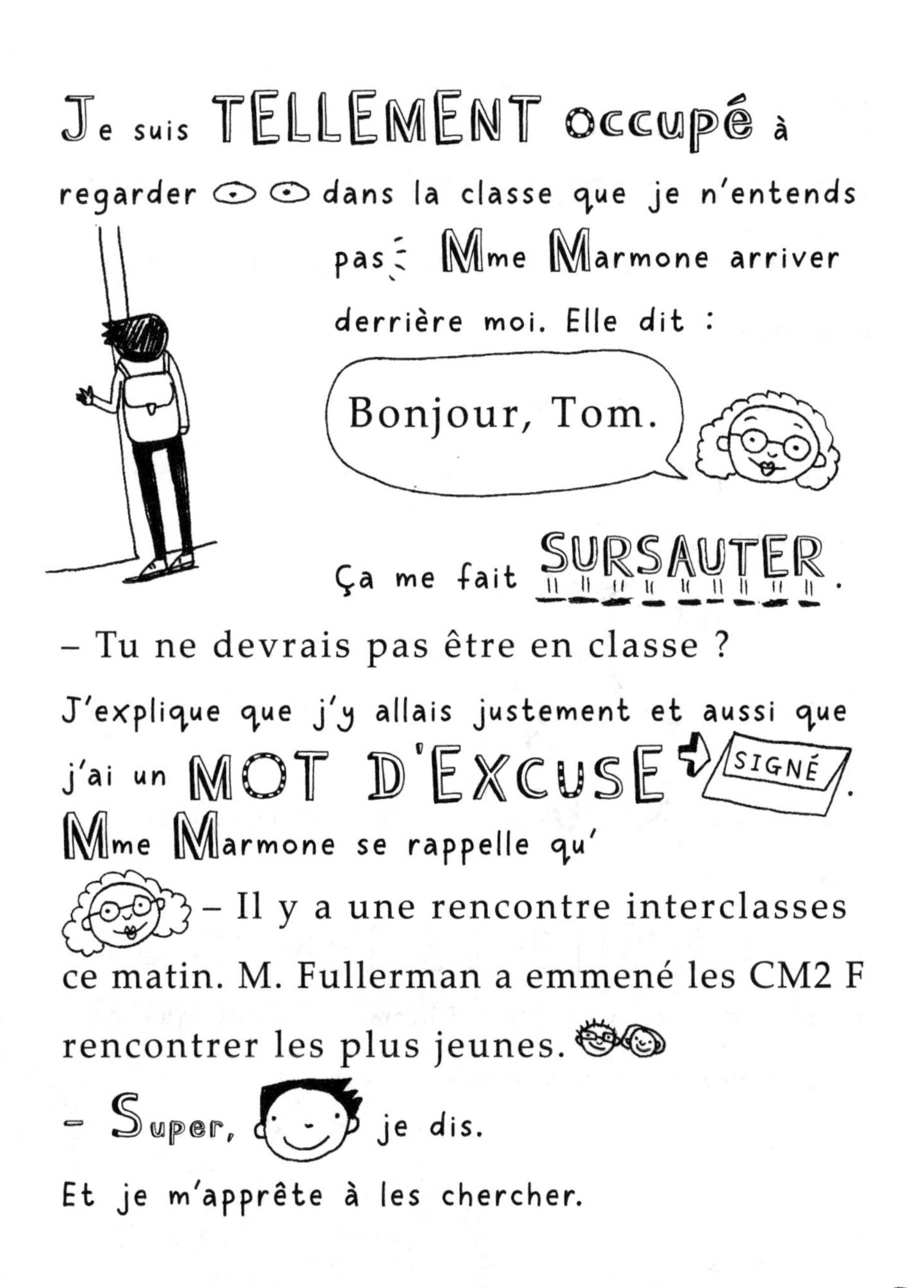

Ça me fait SURSAUTER.

– Tu ne devrais pas être en classe ?

J'explique que j'y allais justement et aussi que j'ai un MOT D'EXCUSE SIGNÉ.

Mme Marmone se rappelle qu'

– Il y a une rencontre interclasses ce matin. M. Fullerman a emmené les CM2 F rencontrer les plus jeunes.

– Super, je dis.

Et je m'apprête à les chercher.

Puis elle ajoute :

– Mais je ne sais PAS TROP dans quelle classe ils sont allés. Mieux vaut que tu viennes dans **mon** bureau jusqu'à ce qu'ils reviennent. J'en profiterai pour te marquer dans le registre ✓ . On ne voudrait pas que tu te balades dans toute l'école, n'est-ce pas ?

(Moi, qui me balade.)

1. **POURQUOI** cette « rencontre interclasses » ?

2. **COMBIEN DE TEMPS** je vais devoir rester avec Mme Marmone alors que ça peut devenir un peu embarrassant ?

Mme Marmone me montre un siège et me demande de ne pas parler pendant qu'elle fait une annonce dans les haut-parleurs. Au moins, ça devrait être marrant à regarder.

Elle se racle la gorge et se PENCHE vers le micro en appuyant sur un bouton ROUGE. Dès qu'elle commence à parler, sa voix devient, euh... MARMONNANTE.

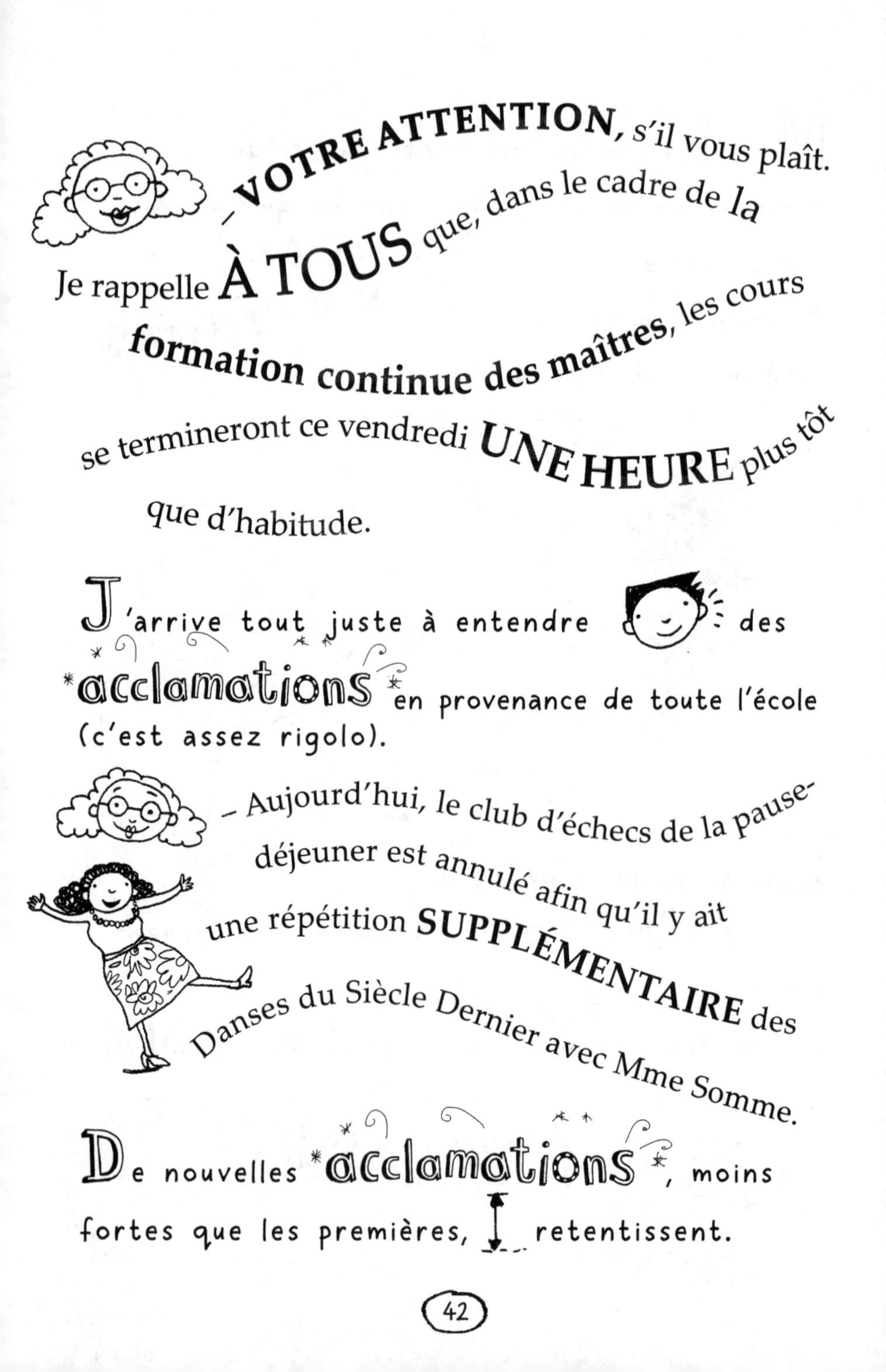

– **VOTRE ATTENTION**, s'il vous plaît. Je rappelle **À TOUS** que, dans le cadre de la **formation continue des maîtres**, les cours se termineront ce vendredi **UNE HEURE** plus tôt que d'habitude.

J'arrive tout juste à entendre des acclamations en provenance de toute l'école (c'est assez rigolo).

– Aujourd'hui, le club d'échecs de la pause-déjeuner est annulé afin qu'il y ait une répétition **SUPPLÉMENTAIRE** des Danses du Siècle Dernier avec Mme Somme.

De nouvelles acclamations, moins fortes que les premières, retentissent.

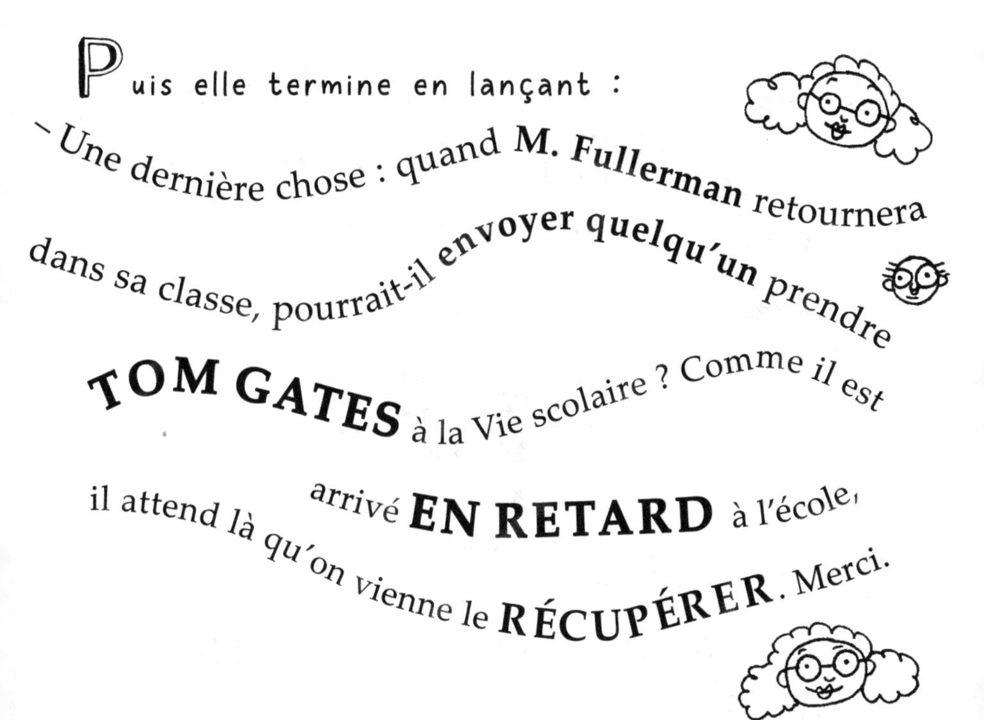

Puis elle termine en lançant :

– Une dernière chose : quand **M. Fullerman** retournera dans sa classe, pourrait-il **envoyer quelqu'un** prendre **TOM GATES** à la Vie scolaire ? Comme il est arrivé **EN RETARD** à l'école, il attend là qu'on vienne le **RÉCUPÉRER**. Merci.

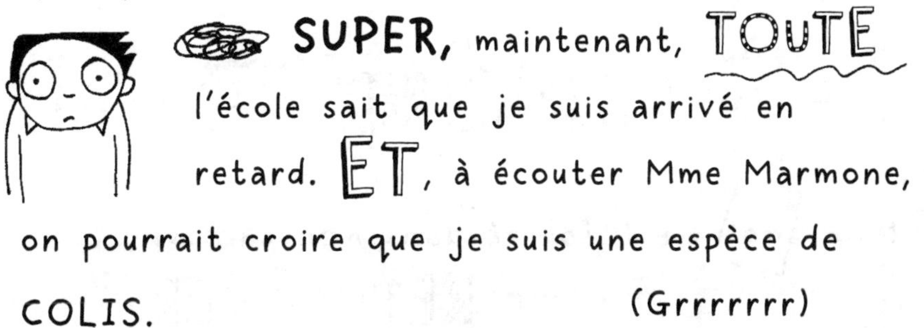

hein ?

SUPER, maintenant, TOUTE l'école sait que je suis arrivé en retard. ET, à écouter Mme Marmone, on pourrait croire que je suis une espèce de COLIS. (Grrrrrrr)

Au moment où Mme Marmone termine son message, je DOIS lui rappeler que j'ai un MOT D'EXCUSE pour ne pas avoir de problèmes.

– Madame Marmone, je lui glisse, je sais que je suis EN RETARD mais j'ai un MOT qui explique pourquoi.

Et elle me répond :

– C'est très bien, Tom. J'aimerais bien le VOIR, ce mot.

Ça me fait PANIQUER un peu.

Mon mot est fourré dans mon cartable, et je n'arrive pas à le RETROUVER.

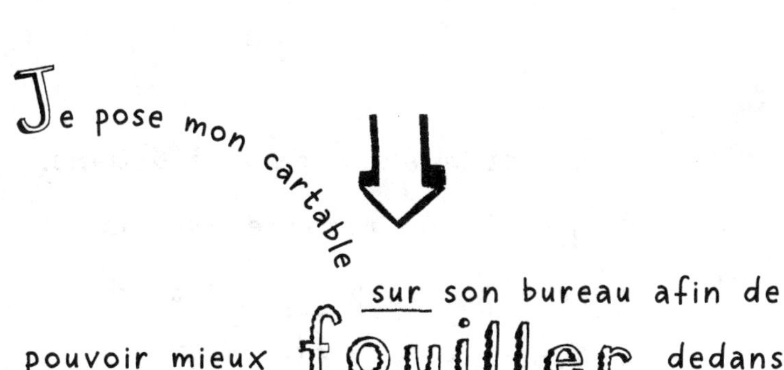

Je pose mon cartable sur son bureau afin de pouvoir mieux **fouiller** dedans.

Tout en cherchant, j'explique que ma sœur, Délia, qui est PLUS VIEILLE que moi, m'a causé un CHOC TERRIBLE ce matin (ce qui est on ne peut plus vrai).

Mais je n'entre pas dans les détails.

Je préfère lui montrer mon expression « J'AI REÇU UN CHOC ! », comme ça...

Et Mme Marmone n'en revient visiblement pas.

Mais, comme je ne trouve TOUJOURS pas ce mot, je continue...

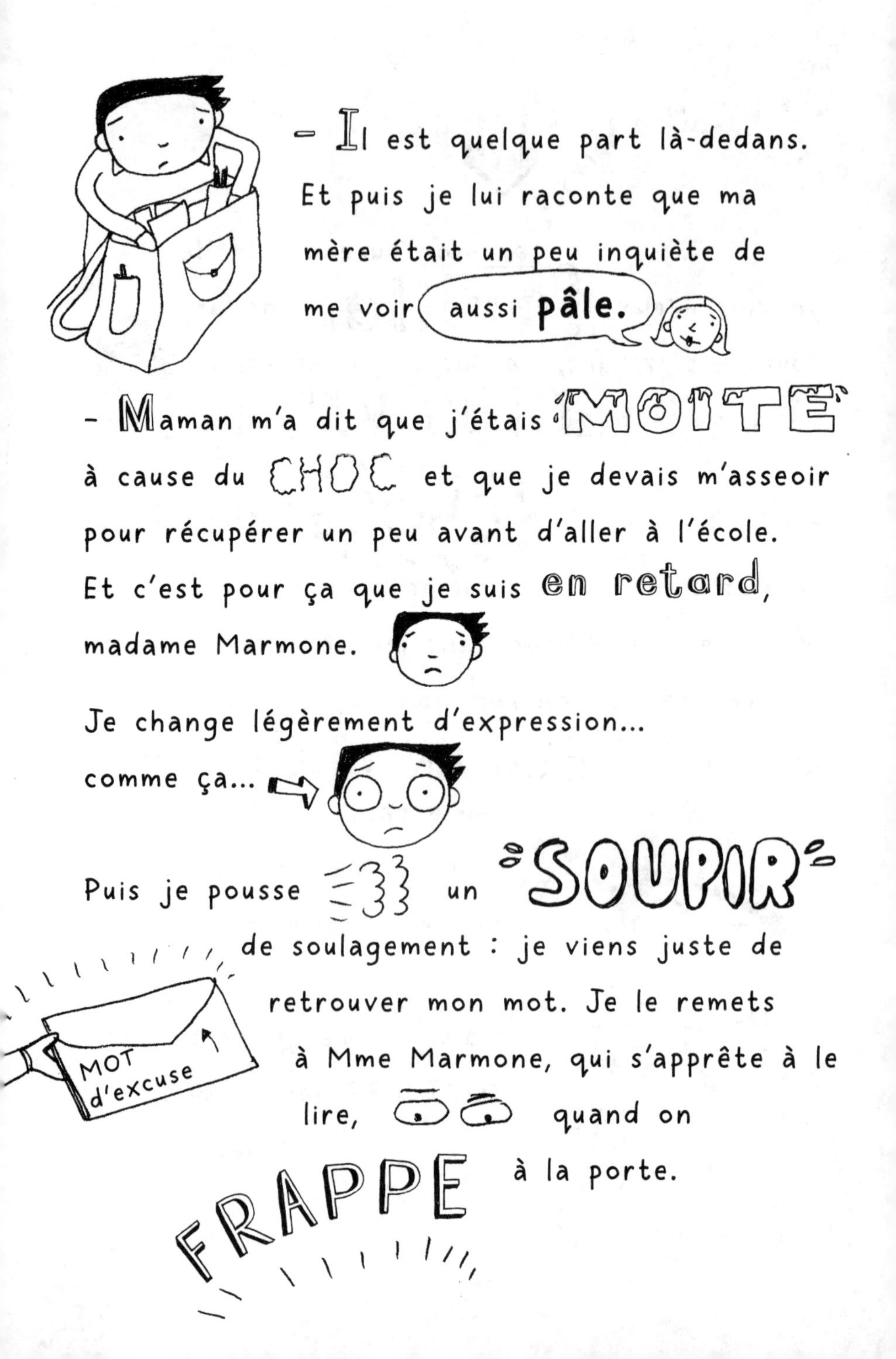

– Il est quelque part là-dedans. Et puis je lui raconte que ma mère était un peu inquiète de me voir aussi **pâle.**

– Maman m'a dit que j'étais MOITE à cause du CHOC et que je devais m'asseoir pour récupérer un peu avant d'aller à l'école. Et c'est pour ça que je suis en retard, madame Marmone.

Je change légèrement d'expression… comme ça…

Puis je pousse un SOUPIR de soulagement : je viens juste de retrouver mon mot. Je le remets à Mme Marmone, qui s'apprête à le lire, quand on FRAPPE à la porte.

Bonjour.
C'est AMY PORTER, et elle est dans ma classe. Elle dit DEUX choses à Mme Marmone.
Je suis revenu.
1. Je peux aller dans ma classe, car M. Fullerman y est retourné.
2. TOUTE l'école m'a entendu expliquer pourquoi je suis EN RETARD parce que le MICRO était encore allumé.
C'EST VRAI ?

Mme Marmone SOULÈVE mon sac du bouton rouge et s'exclame :

– Oh, bon sang, ça explique tout !

Je prends une expression « TRÈS gênée », ce qui donne à peu près ça...

Et comme si ça ne suffisait pas, Mme Marmone s'éloigne et revient avec son APPAREIL PHOTO en disant :

– Ça me rappelle que j'ai besoin d'une photo de toi, Tom.

– TOUT DE SUITE ? je demande.

Je sens que ma figure devient encore plus ROUGE !

Mme Marmone m'explique que c'est pour le BULLETIN de l'école.

– Tu auras droit à une

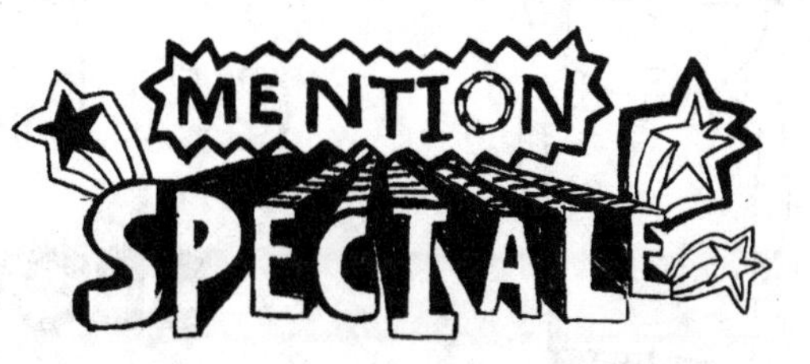

pour le SUPERBE DEVOIR DE DESSIN* que tu as fait sur ton cahier. Pas de quoi te sentir gêné, Tom !

* Voir pages 264-265 de *Tout est génial (ou presque...)*.

Ça me remonte un peu. J'avais complètement oublié le BULLETIN de l'école.

AMY verra au moins que je ne fais pas de gaffes aussi stupides ***tout le temps.*** D'ailleurs, en parlant de gaffes stupides...

Mme Marmone est sur le point de prendre la photo quand on frappe de nouveau à la porte. Un élève se présente avec un PEIGNE...

COINCÉ dans les cheveux.

Mme Marmone le regarde et demande :

– Comment tu t'es débrouillé ?

L'élève répond qu'il ne sait pas trop.

Alors elle lui dit

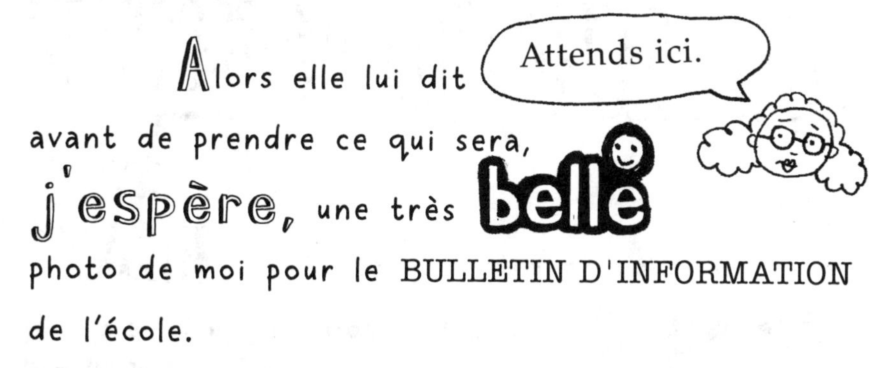

avant de prendre ce qui sera, j'espère, une très belle photo de moi pour le BULLETIN D'INFORMATION de l'école.

Maintenant que Mme Marmone doit s'occuper du garçon qui a un peigne coincé dans les cheveux, mon MOT D'EXCUSE lui est apparemment **sorti** de la tête, et c'est un

GRAND SOULAGEMENT.

Ouf !

Pendant qu'on retourne en classe, **AMY PORTER** voudrait savoir ce qu'a fait Délia pour me causer un tel **CHOC.**

Je ne ***peux pas*** lui expliquer qu'elle a retiré ses lunettes et que c'était horrible **parce que** ça n'aurait pas l'air assez épouvantable du tout. (Même si ça l'était.)

Alors je me contente de répondre :

– Ce n'est rien. Je n'y pense plus maintenant. (Comme si j'étais courageux.)

Puis je change vite fait de sujet de conversation en demandant à AMY ce que c'était que cette **RENCONTRE INTERCLASSES**.

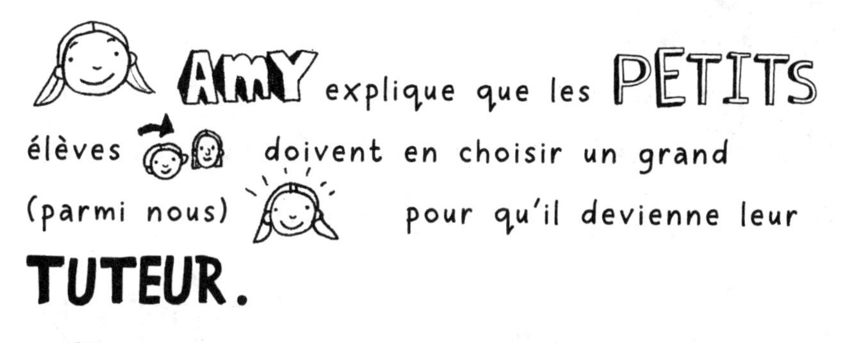

AMY explique que les PETITS élèves doivent en choisir un grand (parmi nous) pour qu'il devienne leur **TUTEUR**.

– On doit alors veiller sur eux et s'assurer que tout se passe bien pour eux à l'école. Ce genre de choses. M. Fullerman nous a emmenés dire bonjour pour que les petits sachent qui on est.

– Ils ont trop de chance, je remarque.

Comme je n'étais pas là, je demande à AMY ce qui se passe quand on n'est pas choisi comme tuteur.

AMY me rassure :

– Tous les petits ne veulent pas forcément avoir de tuteur. Ne t'en fais pas, tu seras bien plus tranquille si tu n'es pas choisi.

Mais je crois que je ferais un bon TUTEUR. Je pourrais leur montrer toutes sortes de trucs vraiment importants, comme :

- Comment être premier dans la queue du déjeuner.

Comment obtenir de GROSSES portions de ses plats préférés.
Oui, s'il vous plaît !
Merci !
Délicieux !
MIAM
Comment obtenir de petites portions des plats qu'on n'aime pas.
Je n'ai plus faim, merci !
Gardez-le pour quelqu'un d'autre.
Je ne peux plus rien avaler.
Les profs dont il faut se méfier.
Mme
CheringS~~TACHE~~
ton
M. Fullerman
M. Fana
M. Pinon
Mme Somme
Ne jamais parler de de sa... moustache.
Yeux de lynx
ATTENTION aux concerts de l'école !
À éviter quand elle chante.
Pourquoi RODEO 3 est le MEILLEUR GROUPE du monde entier...
VRAI DE VRAI.

En classe, M. Fullerman me dit :

Je n'ai pas besoin d'expliquer mon retard, puisque **tout le monde** m'a déjà entendu.

Marcus Meldrou est IMPATIENT de me dire à quel point je me suis **RIDICULISÉ** dans le *haut-parleur*.

Je réplique :

– Toi, t'as même pas besoin de HAUT-PARLEUR pour te **RIDICULISER.**

Alors il me balance :

– Personne ne te choisira comme tuteur, parce que tu n'étais pas là.

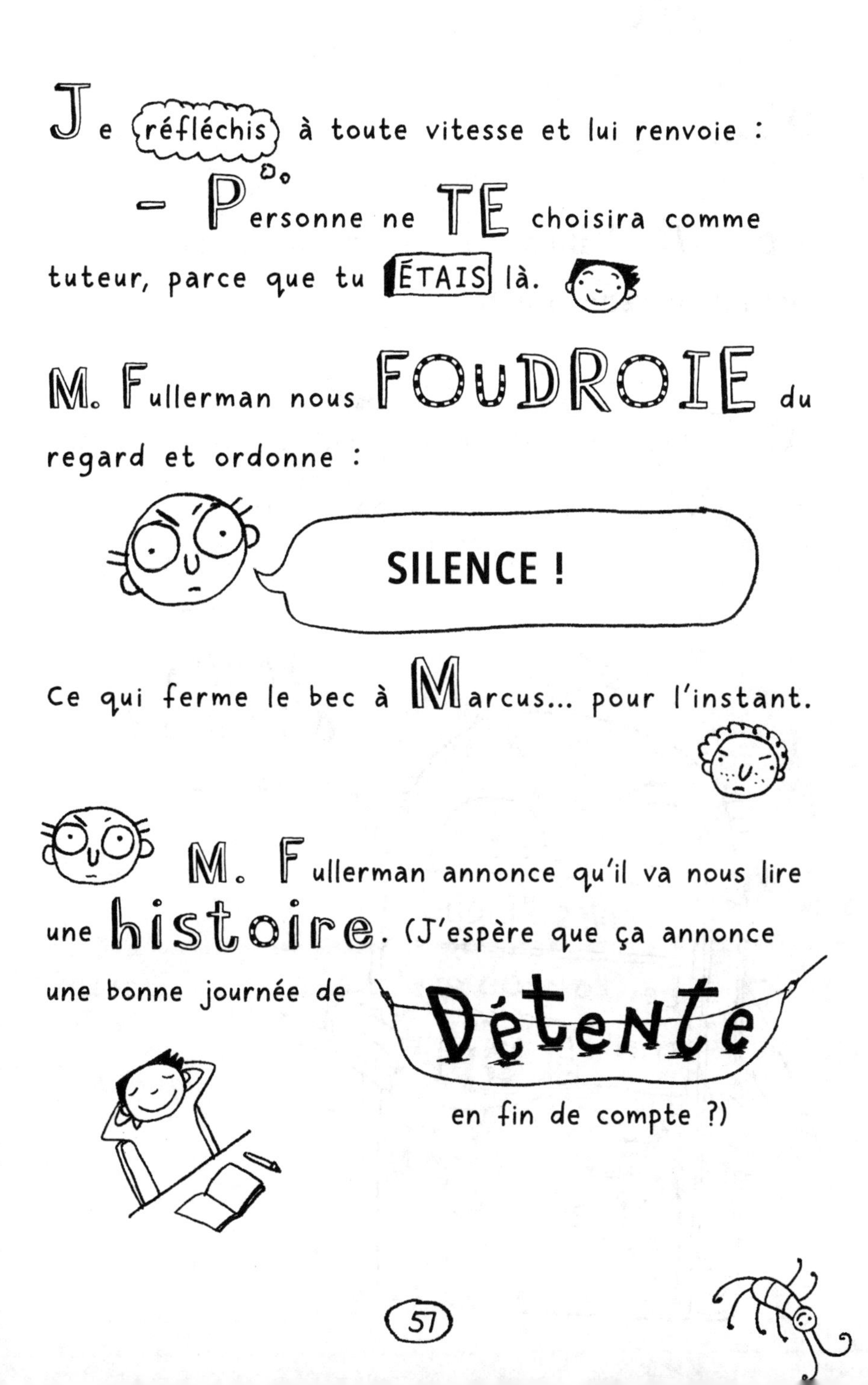

Je réfléchis à toute vitesse et lui renvoie :

– Personne ne TE choisira comme tuteur, parce que tu ÉTAIS là.

M. Fullerman nous FOUDROIE du regard et ordonne :

– SILENCE !

Ce qui ferme le bec à Marcus... pour l'instant.

M. Fullerman annonce qu'il va nous lire une histoire. (J'espère que ça annonce une bonne journée de Détente en fin de compte ?)

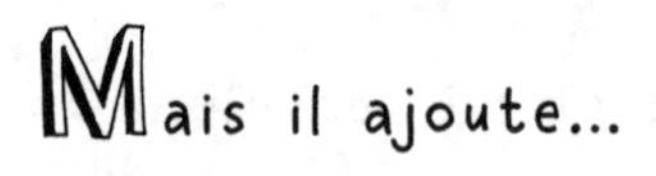

– **Écoutez** attentivement, car nous travaillerons ensuite sur cette histoire.

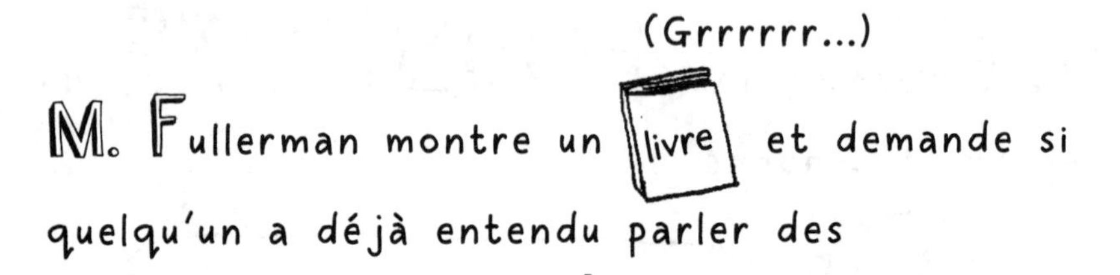

Et Mark Clump, qui ne lève quasiment JAMAIS la main, est devenu TOUT EXCITÉ et s'est écrié :

M. Fullerman interroge alors Mark :

Mark Clump réfléchit un moment...

(Un très long moment, en fait.)

M. Fullerman paraît impressionné de voir Mark réfléchir AUTANT avant de répondre.

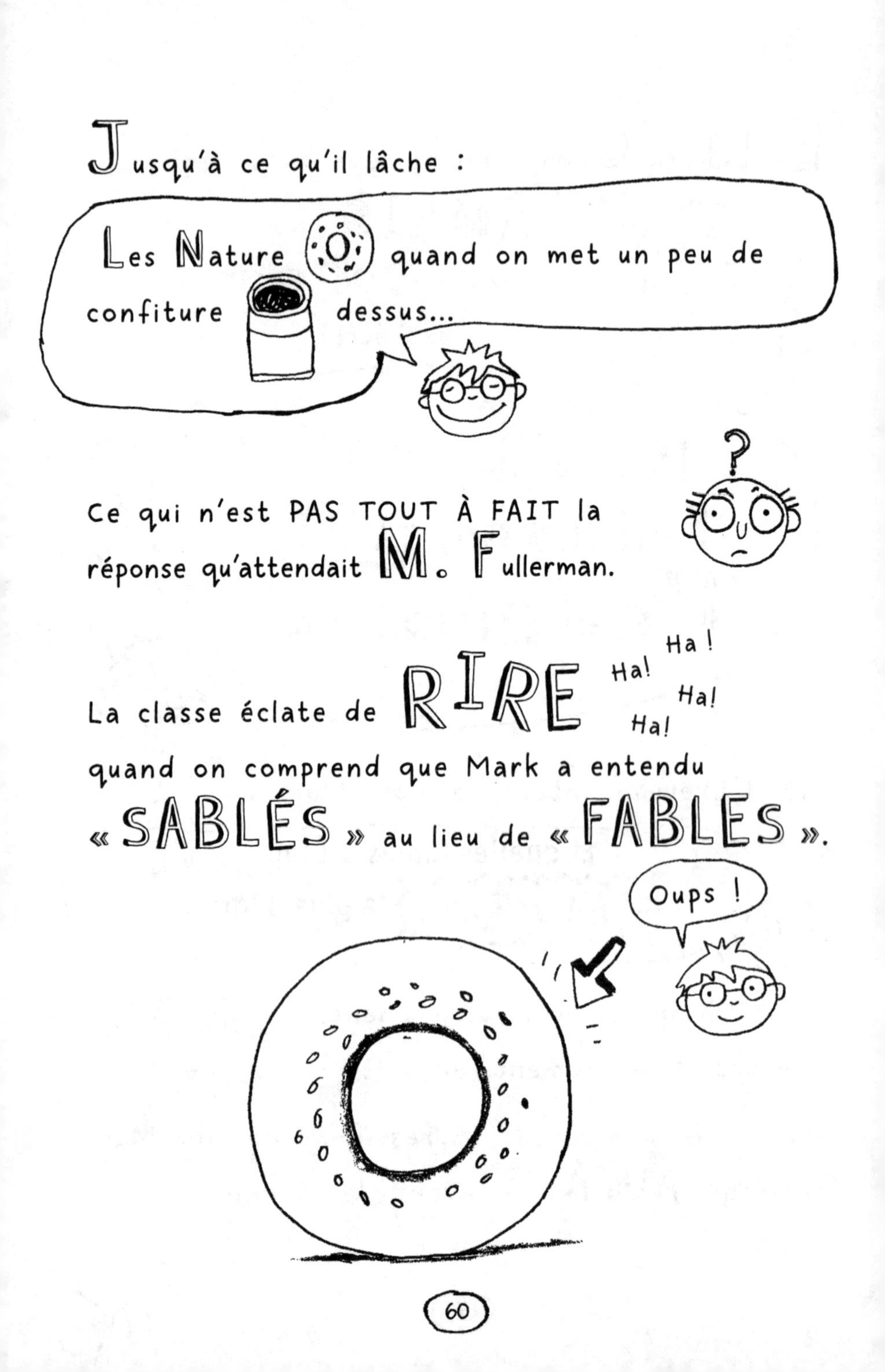
Jusqu'à ce qu'il lâche :
Les Nature O quand on met un peu de confiture dessus...
Ce qui n'est PAS TOUT À FAIT la réponse qu'attendait M. Fullerman.
La classe éclate de RIRE
Ha !
Ha!
Ha!
Ha!
quand on comprend que Mark a entendu « SABLÉS » au lieu de « FABLES ».
Oups !

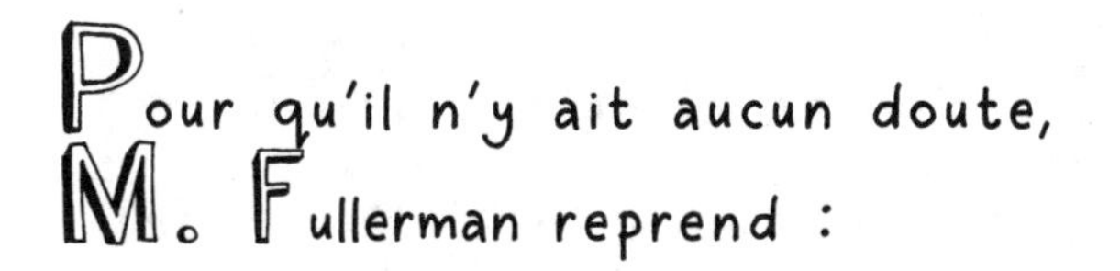

Pour qu'il n'y ait aucun doute,
M. Fullerman reprend :

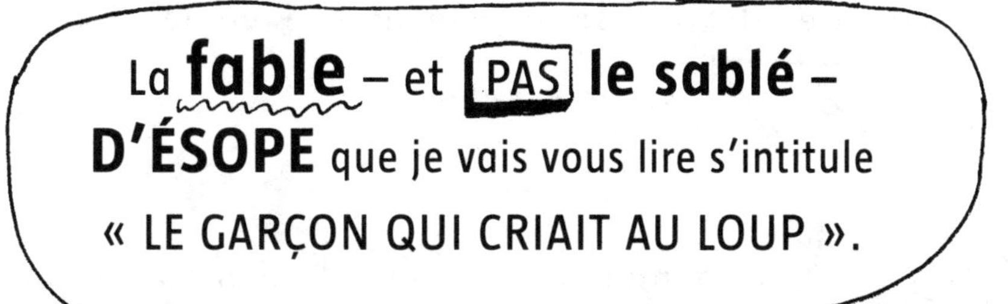

Marcus me donne un coup de coude pour me glisser qu'il la connaît déjà.

À la fin, le loup mange le garçon...
Et c'est à peu près tout.

Merci de m'avoir dit
la fin, Marcus.
C'est sympa.

La bonne nouvelle, c'est que Marcus vient de me donner une idée de dessin. Je dispose soigneusement quelques livres sur ma table.

Et, pendant que M. Fullerman nous lit l'histoire, moi, je dessine.

AMY me regarde et sourit. Je dois m'arrêter souvent pour prendre un air attentif devant M. Fullerman.

(Moi, avec l'air attentif.)

Marcus m'ignore jusqu'au moment où, à la fin de mon dessin, j'en fais un de lui...

... qui attire son regard.

Miam ?

Au secours !
C'est le GRAND SABLÉ monstrueux qui vient me MANGER.
Marcus
Et alors ?
On s'en fiche.
FIN

Marcus se dépêche de lever la main pour interrompre M. Fullerman, qui n'est pas ravi.

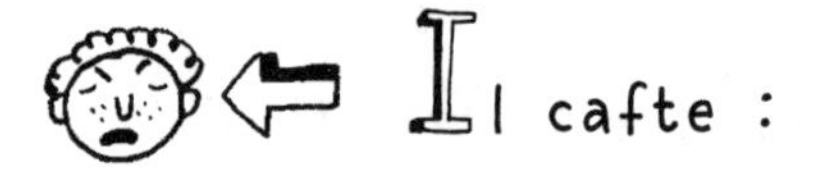

Il cafte :

– MONSIEUR ! Tom Gates est en train de dessiner, MONSIEUR.

J'ai de la chance, parce que M. Fullerman ne me gronde pas. Il faut juste que je pose mon crayon et que j' ÉCOUTE.

Ce que je fais (un moment).

Mais Marcus n'arrête pas de me regarder, et c'est énervant.

Alors, je commence à tracer cette ligne

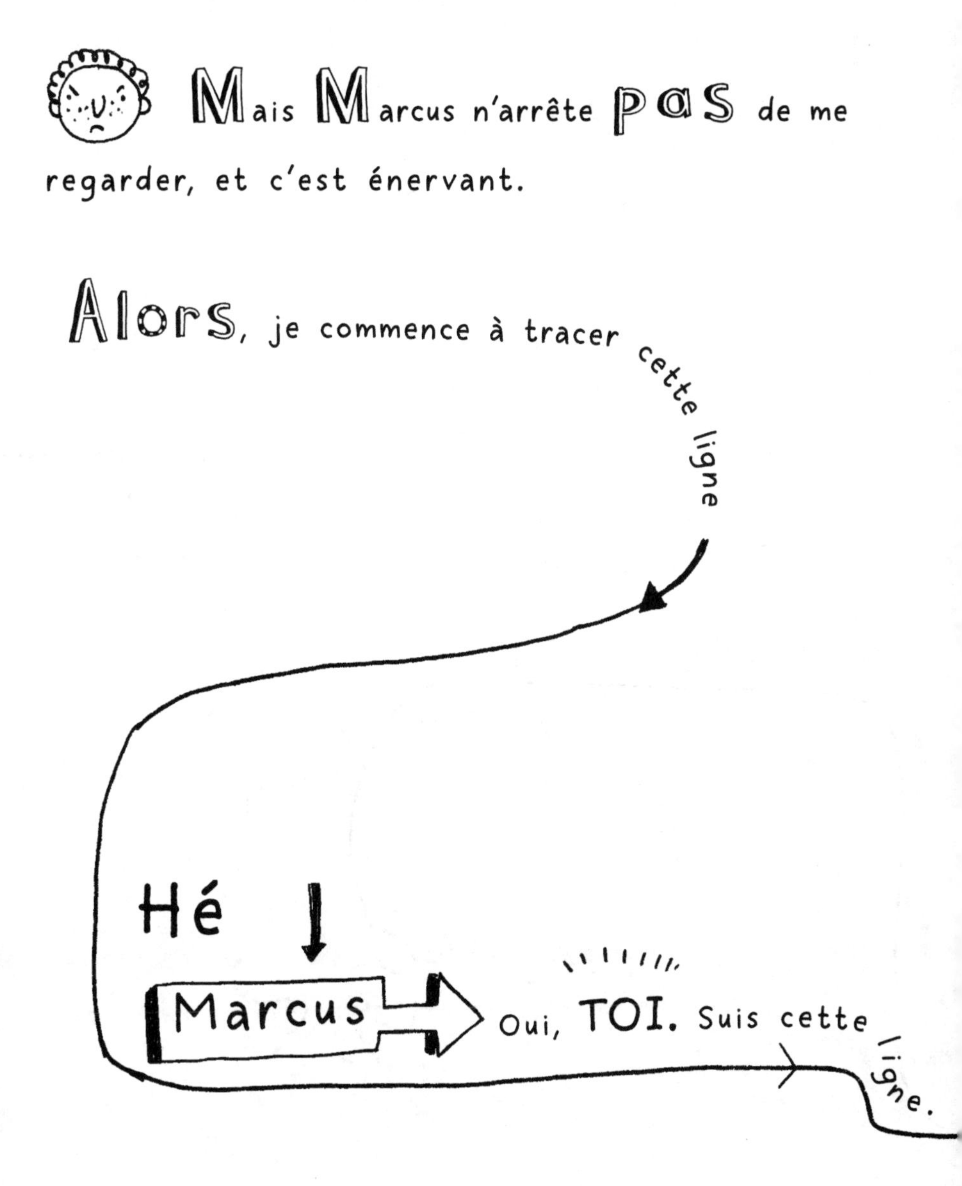

Ne la quitte pas des yeux !

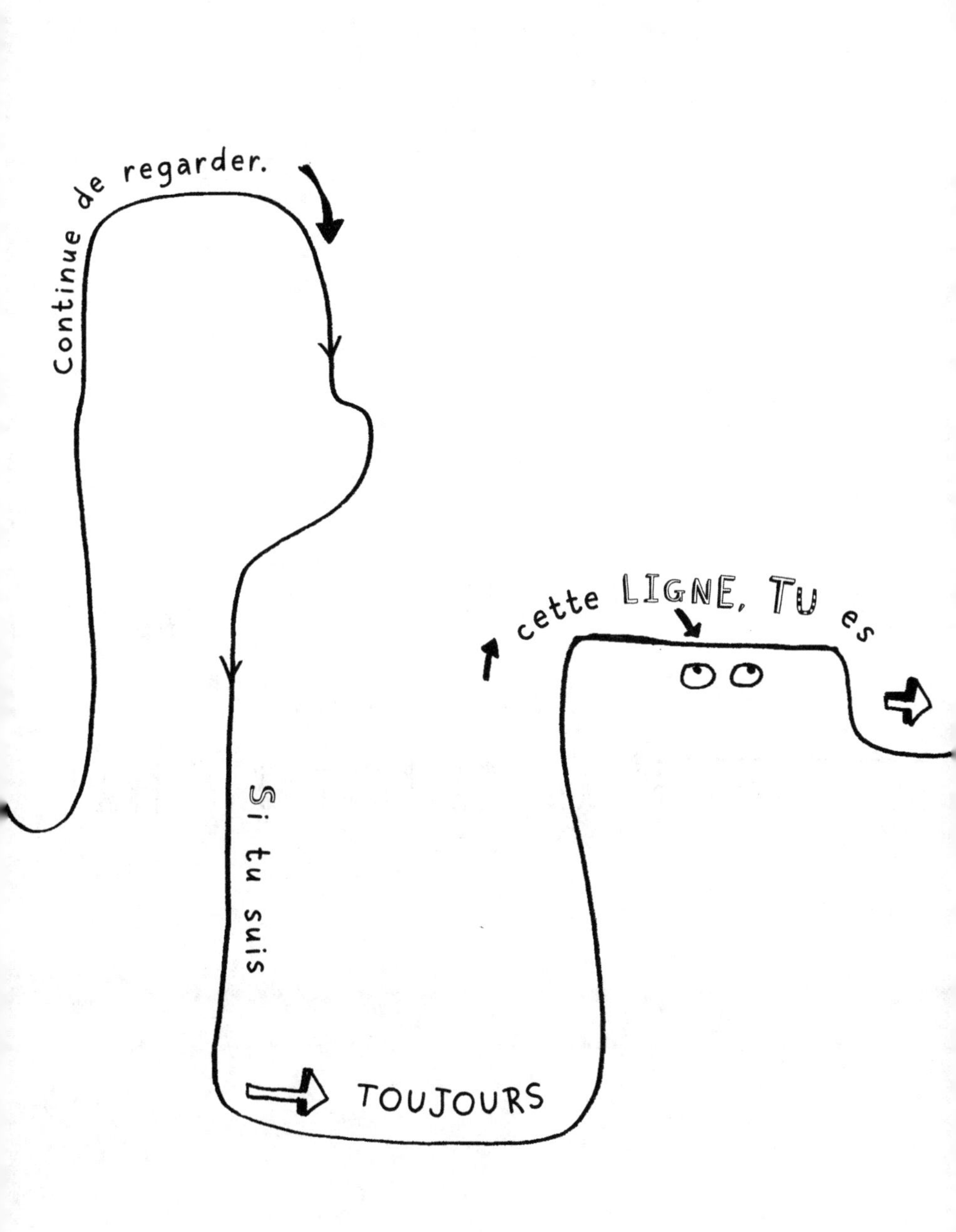
Continue de regarder.
Si tu suis
TOUJOURS
cette LIGNE, TU es

UN IDIOT !

Ha !
Ha !
Ha !
Ha !
Ha !

Maintenant, Marcus fait cette tête-là.

(Faudra que j'essaye ça sur Délia aussi !)

Derek, ⇨ mon meilleur pote, arrive. Il ne peut pas venir répéter ce soir. C'est bien dommage.

– Je dois aller chez ma tante Julia avec ma mère, dit Derek, visiblement énervé. J'espère qu'elle ne me **pincera** pas encore les joues. C'est carrément la honte.

Regardez-moi ça !

Tante Julia

Pour lui remonter le moral, je lui parle du week-end dernier, quand ma tante Alice, Oncle Kevin et les cousins sont venus manger un barbecue à la maison.

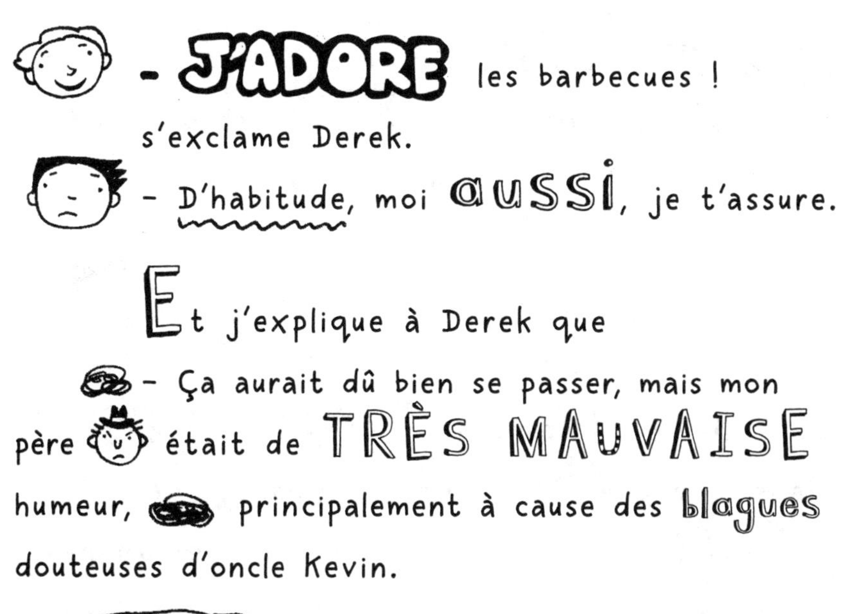

– J'ADORE les barbecues ! s'exclame Derek.

– D'habitude, moi aussi, je t'assure.

Et j'explique à Derek que

– Ça aurait dû bien se passer, mais mon père était de TRÈS MAUVAISE humeur, principalement à cause des blagues douteuses d'oncle Kevin.

Et il n'a pas apprécié non plus mes pétards en papier ni le bruit que ça faisait. Alors, quand il a fait tomber toutes les saucisses par terre, il a dit que c'était de MA faute !

– Je me demandais où Coq avait pris ces saucisses, dit Derek. ET c'est quoi, un pétard en papier ?*

Il m'en reste un roulé en boule dans la poche. Je le sors et j'essaye de lisser le papier pour lui redonner un peu de forme. Ce n'est pas terrible, mais ça fera l'affaire.

J'explique à Derek :

– Je montrais seulement aux cousins comment le faire PÉTER !

Comme ça...
En le secouant très fort par-dessus ma tête...

PAN

* Voir page 308 pour fabriquer un pétard en papier.

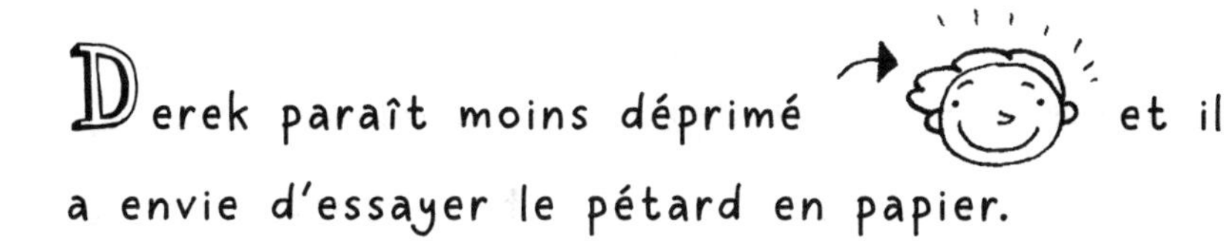

Derek paraît moins déprimé et il a envie d'essayer le pétard en papier.

Ça ne marche pas tout de suite,

flouf

mais il finit par trouver le bon angle

et arrive à produire un

très sonore.

Le bruit attire l'attention de quelques petits, qui s'approchent et demandent :

Qu'est-ce que c'est ?

Je leur explique :

– C'est un pétard en papier. Regardez.

Et je leur montre comment ça marche.

– Vous pouvez en fabriquer vous-mêmes ; c'est facile.

PAN !

Un des petits, qui s'appelle **Joël**, veut regarder le pétard de plus près. C'est l'élève que j'ai vu chez Mme Marmone avec un peigne coincé dans les cheveux.

(Le peigne n'y est plus.)

Je suis très gentil et laisse **Joël** essayer. Je lui montre le truc pour que le pétard marche bien. C'est une erreur...

Il réussit à TOUT faire EXPLOSER.

Joël s'excuse et me rend le bout de papier déchiré. Heureusement que ces pétards sont faciles à faire, parce que celui-ci est fichu.

Derek dit que **Joël** lui fait penser à Norman quand il casse des trucs. Remarquez que, depuis qu'il est tombé de vélo* et s'est blessé aux coudes, Norman fait nettement plus attention.

Derek me rappelle qu'il faut prévenir Norman qu'on doit annuler la répétition de ce soir. Il propose :

– On pourrait en faire une ce week-end, à la place ?

Et puis il me répète ENCORE :

– Tu n'oublies pas de prévenir Norman, hein, Tom ?

Ça ne risque pas ! je réplique.

* Pour avoir toute l'histoire, voir les pages 253 à 256 de *Tout est génial (ou presque)*.

EPS

(Normalement, ça veut dire « Éducation Physique et Sportive », mais, dans le cas de Norman, c'est « Éclopé Privé de Sport ».)

Bien que Norman soit le **premier** que je voie en arrivant en classe, j'oublie totalement de lui parler de la répétition de ce soir. Norman est dispensé d'EPS tant que ses coudes ne sont pas guéris.

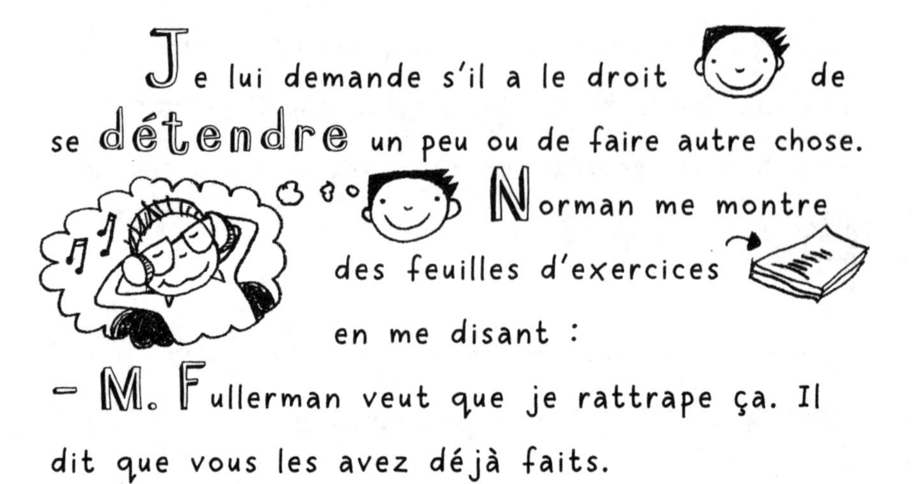

Je lui demande s'il a le droit de se **détendre** un peu ou de faire autre chose. Norman me montre des feuilles d'exercices en me disant :

– M. Fullerman veut que je rattrape ça. Il dit que vous les avez déjà faits.

Ah oui ?

Je jette un rapide coup d'œil, mais ça NE ME DIT vraiment RIEN. Je me tiendrai à carreau et n'en parlerai surtout pas, au cas où M. Fullerman voudrait que je rattrape moi aussi.

Norman doit aller dans le bureau de Mme Marmone

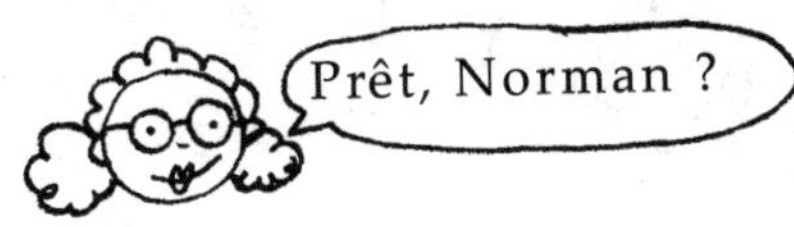

(Grrrrrr.)

(comme moi) pendant que le reste de la classe suit M. Fullerman en EPS.

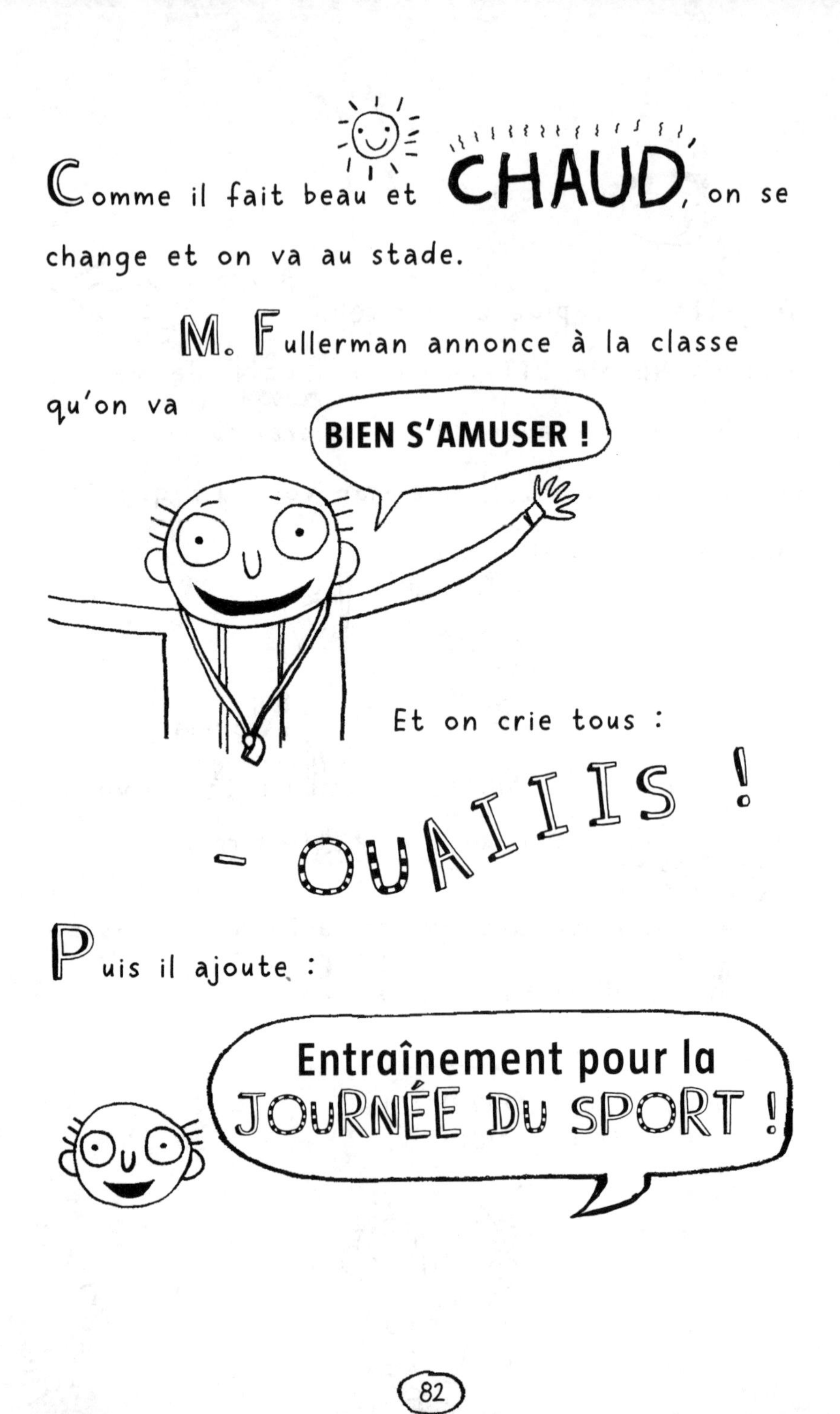
Comme il fait beau et CHAUD, on se change et on va au stade.
M. Fullerman annonce à la classe qu'on va
BIEN S'AMUSER !
Et on crie tous :
– OUAIIIS !
Puis il ajoute :
Entraînement pour la JOURNÉE DU SPORT !

Du coup, on fait tous :

– Ohhhhhhhhhhhhhhhhhhhhh !

Entraînement, ça ne me tente pas vraiment.

M. Fullerman nous demande de nous **échauffer** en faisant **un tour** de terrain.

Balèze (qui n'adore **pas** courir) lève la main pour déclarer :

– Monsieur Fullerman, j'ai déjà bien **CHAUD**. Est-ce que je dois courir quand même ?

Je trouve que c'est une TRÈS bonne remarque de la part de Balèze.

Alors, je lance :

– Moi aussi, j'ai TRÈS CHAUD m'sieur.

Ouh, la, la !...

Dans l'espoir que M. Fullerman change d'avis et ne nous fasse pas courir.

M. Fullerman annonce :

DEUX
tours de stade
pour **TOUT LE MONDE !**

sans même nous regarder.

Toute la classe GROGNE, maintenant,
et nous fusille du regard.
À part Brad Galloway,
qui adore courir.
Ouais !
Florence Mitchell n'est pas contente.
Elle me glisse :
Bravo, Tom.
Oups...
Comme si TOUT était de MA FAUTE !

M. Fullerman garde ses YEUX DE LYNX rivés sur MOI pendant TOUT le temps que je cours. Je ne peux même pas me cacher derrière un ARBRE ou faire semblant de rattacher mes lacets pour me REPOSER vite fait sans qu'il me crie :

– Ne t'arrête pas, TOM… je TE VOIS !

Moi, qui me cache.
moi
arbre
Nœud de lacet (repos du pied droit)
Autre nœud de lacet (repos du pied gauche)
Balèze
moi

J'ai VRAIMENT TRÈS CHAUD et je suis ROUGE tomate maintenant.

Balèze est TELLEMENT ESSOUFFLÉ qu'il a du mal à PARLER.

Il arrive juste à dire :

– Et... on n'a... même... pas... encore... commencé.

C'est vrai. (Soupir.)

Marcus Meldrou s'approche de MOI et se met à agiter les mains près de ma tête. (C'est très agaçant.)

Je lui demande :

– Qu'est-ce que tu fais, Marcus ?

Et il me répond :

– J'ai les mains FROIDES, alors je les réchauffe...

SUR TA FIGURE !

Marcus se croit HILARANT.

Je pense que ce cours d'EPS va être TRÈS, TRÈS **long**.

Grrrrr.

Ma classe n'a jamais, je dis bien JAMAIS, RIEN gagné à LA JOURNÉE DU SPORT. On est carrément nuls à côté de certaines autres.

Chaque année, à la fin de LA JOURNÉE DU SPORT, M. Fullerman dit :

– BRAVO, chers élèves, vous vous en êtes TOUS TRÈS BIEN sortis ! Et gardez à l'esprit que l'important, c'est de participer !

(Même si on est arrivés derniers.)

Alors que la classe de M. Pignon fête généralement l'événement...

... avec des

CRIS DE TRIOMPHE

et des

ACCLAMATIONS

parce qu'ils ont ENCORE remporté la JOURNÉE DU SPORT.

(M. Pignon en train de faire sa danse de ROBOT de la victoire.)

Mais là, à la façon dont M. Fullerman nous fait **SAUTER** en ÉTOILE

et à **pieds joints** (ce qui me fait mal aux jambes), j'ai l'impression qu'il espère que, **CETTE FOIS**, la JOURNÉE DU SPORT se passera autrement pour TOUT LE MONDE, non ?

Il y a des fois où je me demande pourquoi la JOURNÉE DU SPORT s'appelle la JOURNÉE DU SPORT. Je ne suis pas sûr que TOUT ce qu'on fait soit VRAIMENT du sport.

Comme...

Qui est BEAUCOUP plus dur que ça n'en a l'air.

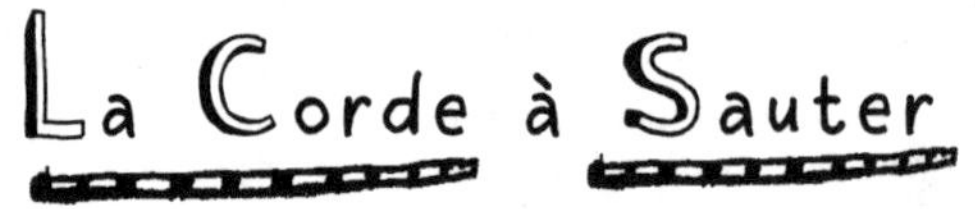

M. Fullerman assure que les boxeurs sautent à la corde pour être en forme. Mais ils n'ont sûrement pas quelqu'un comme Marcus JUSTE À CÔTÉ d'eux pour accrocher leur CORDE sans arrêt.

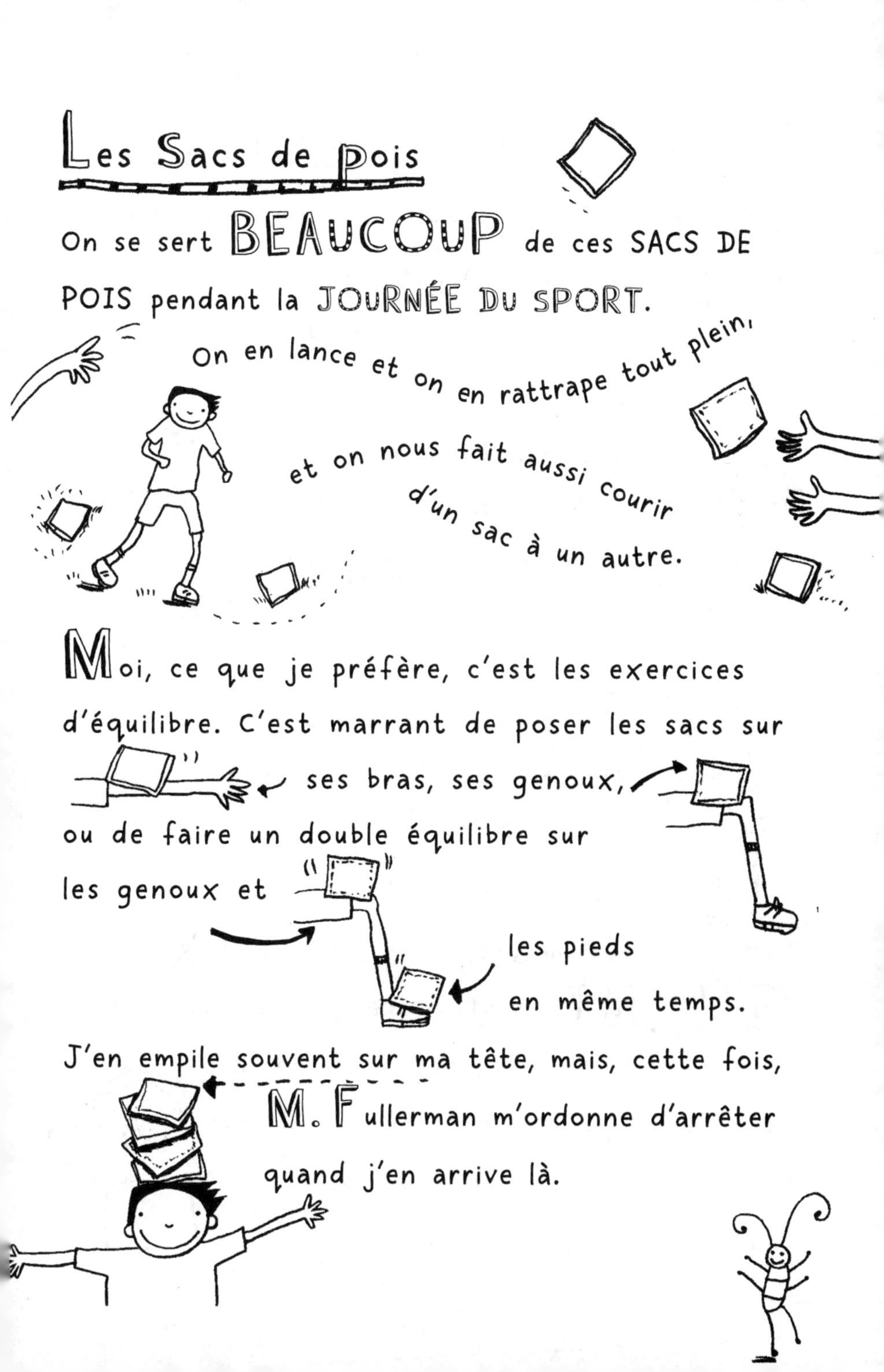

Les Sacs de pois

On se sert BEAUCOUP de ces SACS DE POIS pendant la JOURNÉE DU SPORT.

On en lance et on en rattrape tout plein, et on nous fait aussi courir d'un sac à un autre.

Moi, ce que je préfère, c'est les exercices d'équilibre. C'est marrant de poser les sacs sur ses bras, ses genoux, ou de faire un double équilibre sur les genoux et les pieds en même temps.

J'en empile souvent sur ma tête, mais, cette fois, M. Fullerman m'ordonne d'arrêter quand j'en arrive là.

Le saut en LONGUEUR est le seul sport qu'on fait aujourd'hui et que j'ai déjà vu à la télé.

M. Fullerman veut qu'on essaye tous.

Il nous dit :

– Il faut prendre une bonne course d'élan, puis projeter ses jambes en avant et **et sauter dans le bac à sable.**

Marcus commence à faire des flexions de jambes. Je lui demande :

– Qu'est-ce que tu fabriques, Marcus ?

– Je me prépare à faire un TRÈS GRAND saut, parce que je suis vraiment fort au saut en longueur, assure-t-il.

Et il se met à respirer très profondément en même temps (ça paraît un peu bizarre).

– Peut-être qu'il est vraiment bon, après tout, me glisse Balèze.

– On va voir, je lui réponds.

On regarde Marcus COURIR aussi vite qu'il peut vers le bac à sable...

Puis il SAUTE en l'air et réussit un très très...

... petit saut.

HUMMMMMMFFFF

M. Fullerman dit :

Et, maintenant, Marcus croit qu'il a fait un saut PRODIGIEUX.

(Pas du tout.)

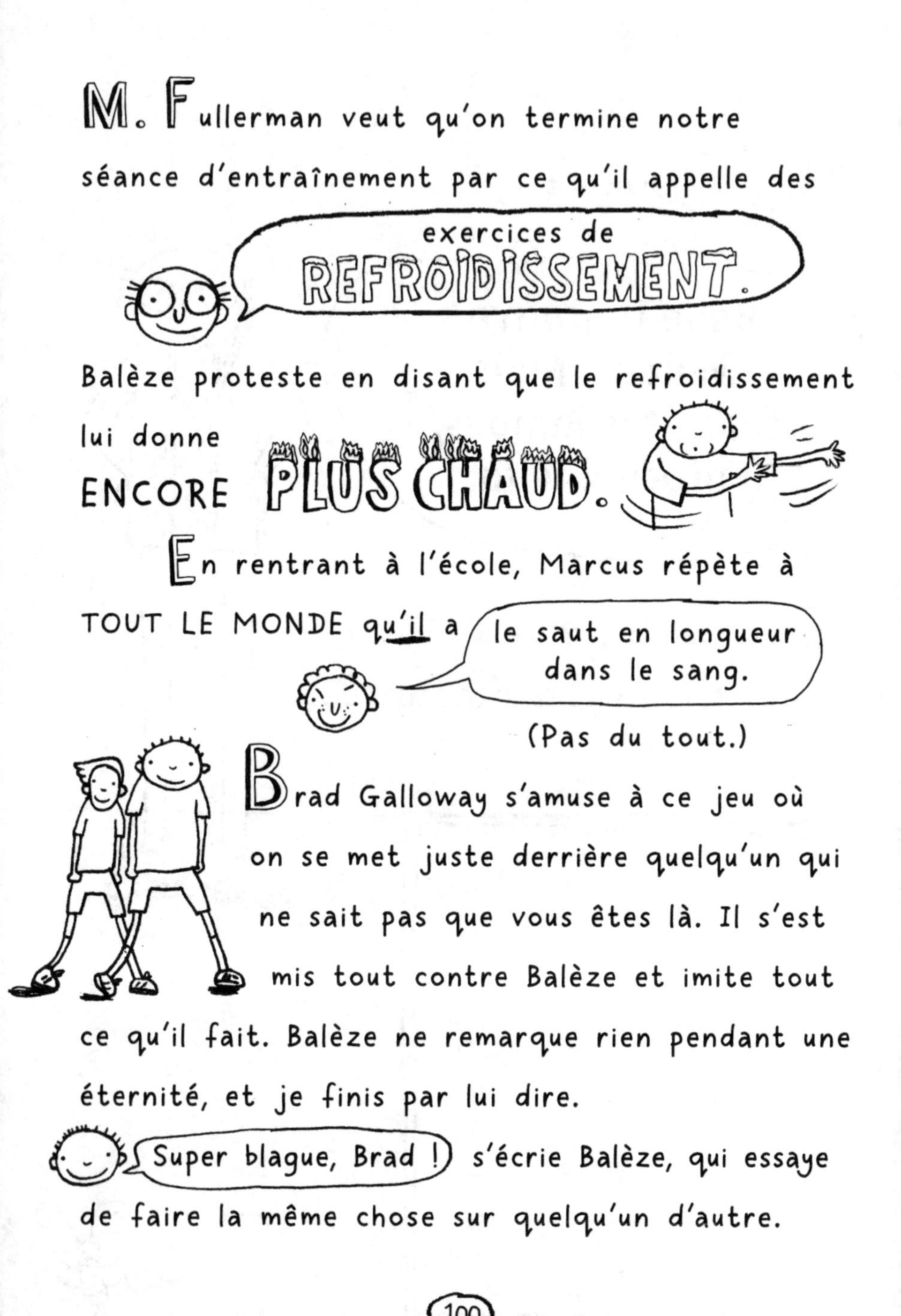

M. Fullerman veut qu'on termine notre séance d'entraînement par ce qu'il appelle des exercices de REFROIDISSEMENT.

Balèze proteste en disant que le refroidissement lui donne ENCORE PLUS CHAUD.

En rentrant à l'école, Marcus répète à TOUT LE MONDE qu'il a le saut en longueur dans le sang.

(Pas du tout.)

Brad Galloway s'amuse à ce jeu où on se met juste derrière quelqu'un qui ne sait pas que vous êtes là. Il s'est mis tout contre Balèze et imite tout ce qu'il fait. Balèze ne remarque rien pendant une éternité, et je finis par lui dire.

Super blague, Brad ! s'écrie Balèze, qui essaye de faire la même chose sur quelqu'un d'autre.

Le problème, c'est que Balèze est un peu GRAND et "bruyant" et que son ombre n'arrête pas de le trahir.

Je sais que tu es là, Balèze.

Salut, Balèze !

Quand on rentre dans l'école, M. Fullerman nous demande d'aider à ranger les « équipements sportifs » (je crois qu'il parle des sacs de pois, des hula hoops et des cordes à sauter).

Et il en profite pour nous rappeler qu'il reste très peu de temps avant LA JOURNÉE DU SPORT.

Comme si on ne le savait pas déjà.

Il ajoute :

Je suis sûr que vous allez tous
TRÈS BIEN vous en sortir, cette année... bla bla bla

Mais c'est dur de se concentrer quand on voit ça TPSVP.

Brad est complètement déchaîné, juste derrière le prof.

J'essaye de ne pas rire, mais c'est presque impossible. Tous ceux qui voient Brad en train de danser se mettent à rire aussi.

M. Fullerman s'énerve un peu et proteste :

– Les enfants, il n'y a **PAS** de quoi rire !

M. Fullerman sent soudain qu'il se passe quelque chose derrière son dos et se retourne **SUPER VITE**, juste à temps pour surprendre Brad Galloway...

… en train de ne rien faire **du tout**.

(Il était moins une, non ?)

M. Fullerman lui dit :

– Je vais T'avoir à l'ŒIL, Brad.

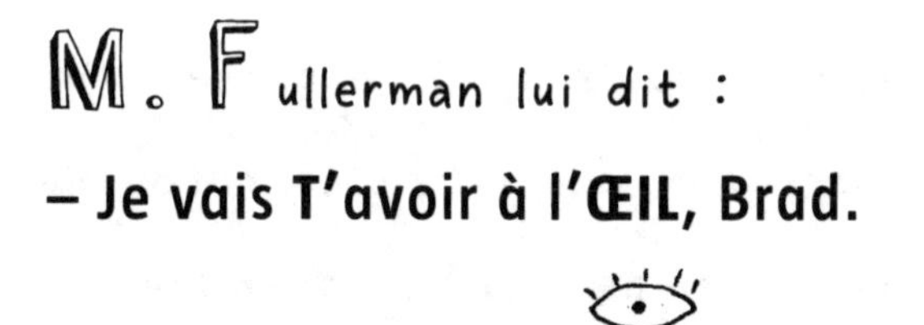

Ce qui ME va parfaitement, vu que (entre mes exercices) j'essaye de terminer mon

SUPER GRAND dessin en classe.

Et c'est un peu compliqué à faire quand M. Fullerman ne me QUITTE PAS DES YEUX (ce qu'il fait tout le temps).

Je suis **IMPATIENT** d'être au déjeuner pour courir raconter à Norman et à Derek que BRAD a dansé derrière le dos du prof.

À la cantine, je me lève pour leur montrer

EXACTEMENT ce qu'il a fait.

Comme ça :

je suis tellement occupé à AGITER les bras au-dessus de ma tête, d'un côté puis *de l'autre*, pour imiter le numéro de danse de Brad, que je ne REMARQUE même pas la drôle de tête que fait DEREK.

Je continue et lui dis :

– Je te le certifie... c'était VRAIMENT marrant ! Surtout pendant que M. Fullerman CONTINUAIT à parler de sa JOURNÉE DU SPORT...

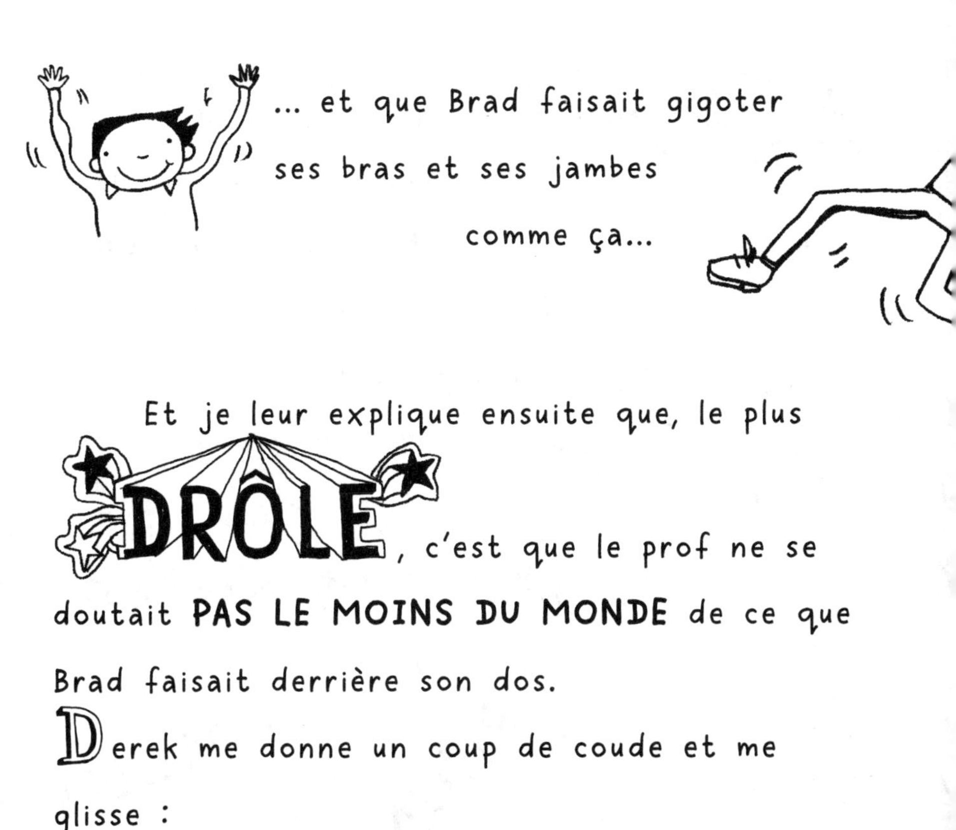

... et que Brad faisait gigoter ses bras et ses jambes comme ça...

Et je leur explique ensuite que, le plus **DRÔLE**, c'est que le prof ne se doutait **PAS LE MOINS DU MONDE** de ce que Brad faisait derrière son dos.

Derek me donne un coup de coude et me glisse :

– Je crois que maintenant il sait.

M. Fullerman fixe ses yeux de LYNX dans MA direction et secoue la tête d'un air SÉVÈRE et très désapprobateur.

J'ai l'horrible impression qu'il n'a pas perdu un mot de ce que je viens de dire.

On oublie trop facilement que M. Fullerman a une OREILLE SURHUMAINE.

J'aurais dû me méfier. (Ce n'est pas la première fois que ça m'arrive.)

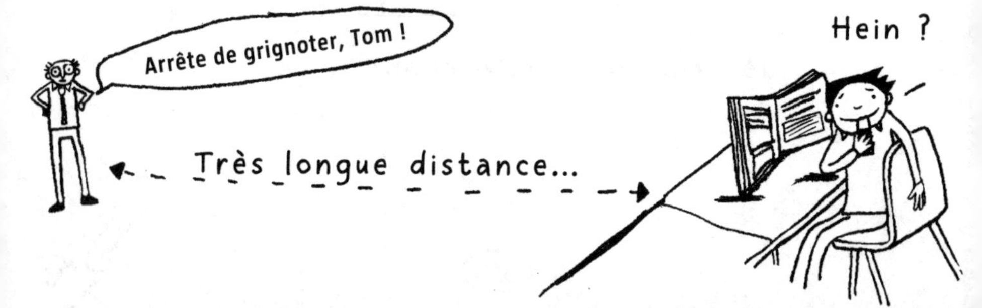

– Il nous regarde encore, souffle Norman. 

J'essaye de me concentrer de TOUTES MES FORCES sur mon déjeuner et chuchote :

– Dis-moi quand il aura arrêté.

Deux questions TRÈS importantes me VIENNENT soudain à l'esprit.

Question 1. Brad aura-t-il des problèmes à cause de moi ?

Question 2. Est-ce qu'il y a VRAIMENT des frites sur mon gâteau ?

Réponse 1. Mmmmmm, peut-être ?

Réponse 2. Oui, ce sont vraiment des frites parce que c'est Mamie Mavis qui a préparé mon déjeuner.

Je réussis à décoller les frites et je mange le gâteau (les deux ne vont généralement pas ensemble, sauf pour Mamie Mavis).

Norman a l'air tenté par mes frites, ce qui me va très bien (même si c'est un peu bizarre).

Pendant qu'il mange mes frites, je demande à Norman ce que ça lui a fait de sauter l'EPS et de faire ses devoirs dans le bureau de Mme Marmone. Il me répond que ça allait. Et qu'il a découvert un truc intéressant. Derek et moi, on le questionne aussitôt :

Norman nous raconte qu'il a entendu une conversation entre M. Fana et Mme Marmone.

– Ils parlaient de MUSIQUE.

– Vraiment ?

Norman continue :

– Comme j'étais très tranquille et très silencieux, j'ai entendu M. Fana qui disait :

Norman, très tranquille.

« Si on arrive à convaincre les RODEO 3 de venir se produire à l'école, ce serait génial. Les enfants adoreraient les voir. »

– T'en es sûr ? je demande.

Et Norman répond, la bouche pleine de frites :

Derek se demande pourquoi RODEO 3 accepterait de venir jouer dans NOTRE école.

Si jamais c'était vrai, ce serait…

GÉN

INCRO

TROP CO

IAL !
YABLE !
L !
HOURRAH !

Derek me conseille de ne pas TROP m'exciter.

– Enfin, Norman n'est pas absolument certain que M. Fana ait dit RODEO 3. Il a pu se tromper. Sans vouloir te vexer, Norman, ajoute Derek.

– Pas de problème, assure Norman.

Mais c'est vrai que Norman se mélange parfois les pinceaux.

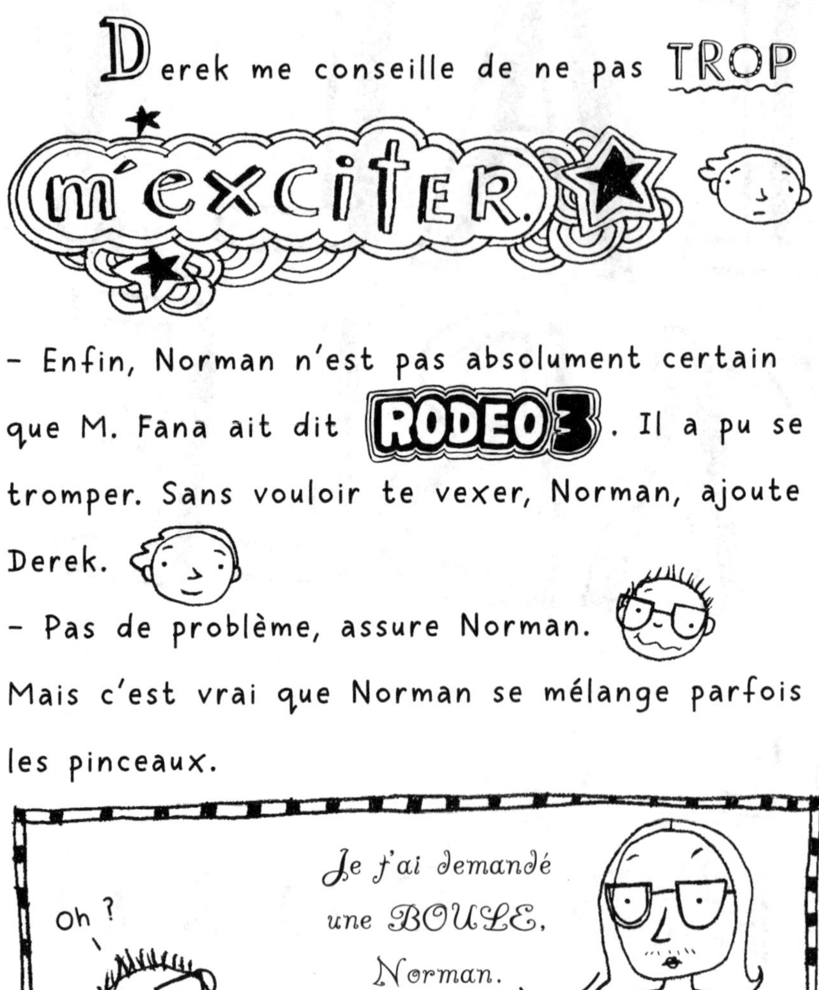

On est sur le point de sortir de la cafétéria quand on entend un ÉNORME

CRAC !

C'est un GROS accident de légumes :

TOUT un bac de petits POIS vient de se renverser par terre.

On essaye de voir exactement ce qui s'est passé.

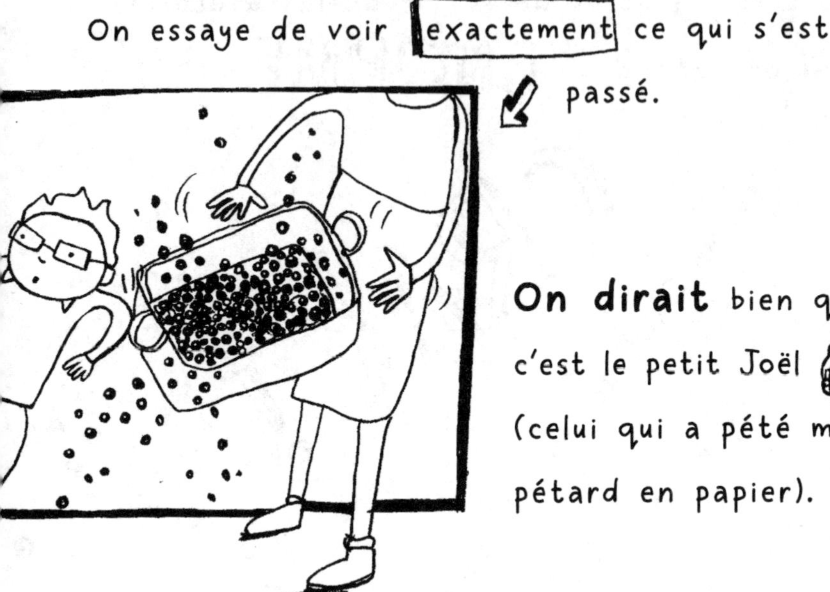

On dirait bien que c'est le petit Joël (celui qui a pété mon pétard en papier).

Il est RENTRÉ accidentellement dans la dame qui portait les petits pois.

J'entends déjà tinter les clés de Stan, le gardien, qui fonce dans la cafétéria...

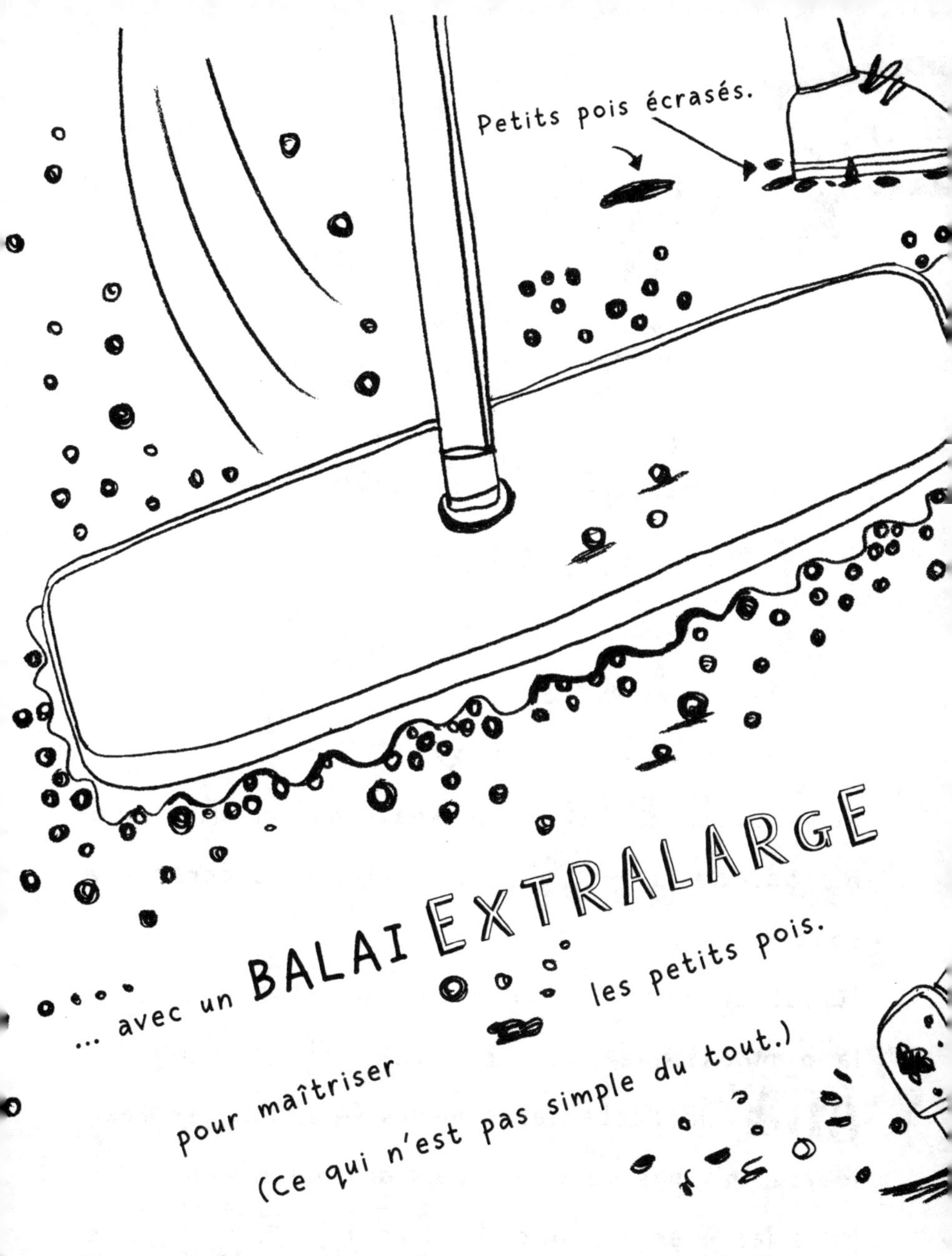

On abandonne Stan à son balai en laissant une longue traînée de petits pois écrasés derrière nous.

En classe.

M. Fullerman demande à tout le monde de **SE LEVER...**

DE **S'ASSEOIR...**

Puis de **SE LEVER** de nouveau pour vérifier qu'on n'a pas de « petits pois écrasés » sous nos chaussures.

(C'est encore une façon de nous faire faire de la gymnastique pour la JOURNÉE DU SPORT.)

AMY inspecte ses semelles (qui sont propres).

Marcus n'a pas de petits pois dessous non plus.

Mais les miennes sont TAPISSÉES de purée verte. D'après Marcus, on dirait que j'ai écrasé une grenouille.

Et il fait exprès de bien écarter sa chaise loin de moi. M. Fullerman me donne des serviettes en papier, ce qui nettoie mes semelles impec.

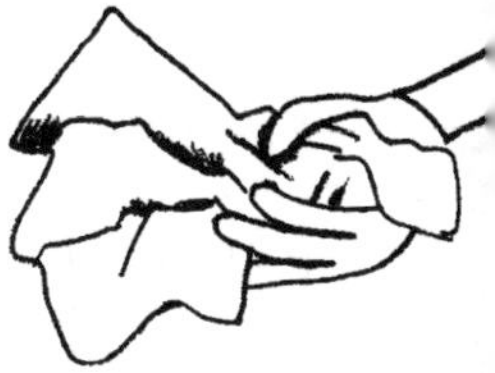

Marcus n'arrête pas de répéter  BEURK ! et de faire des grimaces horribles.

Alors je l'avertis qu'il a un truc VERT coincé entre les dents, et que ça ne vaut pas mieux. Ce n'est pas vrai, mais ça lui ferme sa boîte à camembert un moment.
M. Fullerman lui demande de REMETTRE sa chaise à sa place.

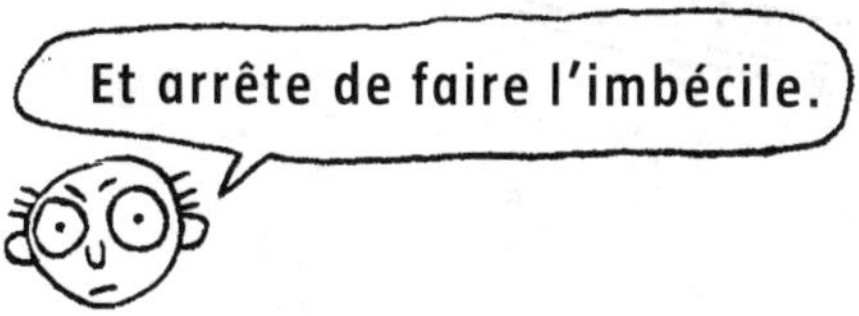

Et arrête de faire l'imbécile. Je suis bien d'accord.

Voilà le dessin de Marcus que m'ont inspiré les petits pois.

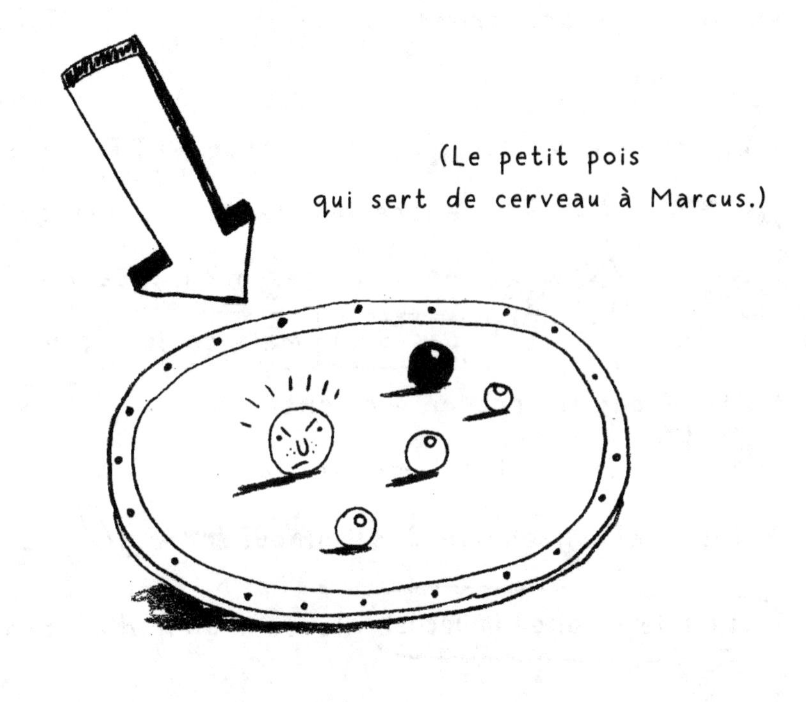

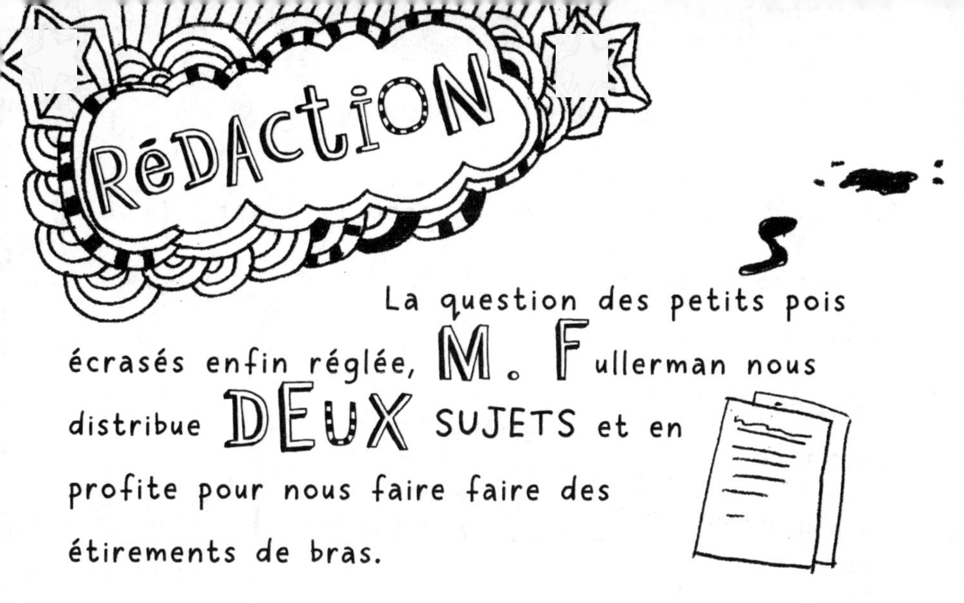

La question des petits pois écrasés enfin réglée, M. Fullerman nous distribue DEUX SUJETS et en profite pour nous faire faire des étirements de bras.

Il nous dit qu'on peut choisir notre sujet. Puis il FIXE Brad du regard et lance :

– Brad, tu aimeras peut-être prendre le premier sujet ? Et n'oublie jamais que j'ai des yeux derrière la tête.

Ce qui est un peu bizarre dans la bouche de M. Fullerman.

Jusqu'à ce que je lise le premier sujet. (Brad a été démasqué.)

Sujet de rédaction 1

Lisez attentivement le commencement de cette histoire. Puis je voudrais que vous la poursuiviez sur une feuille séparée. Écrire au moins une page complète de copie grand format, s'il vous plaît.

M. Fullerman était certain qu'il se passait quelque chose derrière son dos. Il décida que la seule chose à faire était de...

rentrer chez lui.

Fin.

Si je devais écrire la fin du sujet 1, je mettrais ça... Ha ! Ha !

C'est un peu court, je sais. Mieux vaut prendre le second sujet si je ne veux pas avoir (encore) des ennuis.

Sujet de rédaction 2

Je voudrais que vous écriviez votre propre fable sur un thème similaire à celui de la fable que nous avons lue en classe, « Le Garçon qui criait au loup ». L'histoire peut provenir entièrement de votre imagination ou s'appuyer sur quelque chose qui vous est réellement arrivé.

Écrire au moins une page de copie grand format, s'il vous plaît.

Je vous donne ma version de la FABLE en partant du barbecue en famille du week-end dernier, dont je parlais ce matin à Derek. Amusez-vous bien.

Le Garçon qui disait

que les saucisses sont brûlées

Par Tom Gates

Voici l'histoire d'une famille qui n'a pas voulu écouter son fils TRÈS intelligent (donc, moi). Tout a commencé quand le SOLEIL a fait son apparition et que mon père a trouvé que ce serait une EXCELLENTE idée de faire un barbecue. J'ai demandé :

Est-ce qu'il ne pleut pas toujours quand tu sors le barbecue, papa ?

Et il a répondu :

Ne sois pas bête. C'est évident qu'il ne va PAS pleuvoir !

(Comme si ÇA n'était jamais arrivé.)

J'ai donc regardé papa traîner le barbecue depuis le fond du jardin.

Il était recouvert d'une espèce de housse protectrice qui permettait, m'a dit papa, de garder

le barbecue ULTRA-propre
et prêt à servir !

Pourtant, sous la housse protectrice, le barbecue était complètement répugnant et

J'ai fait remarquer à mon père que le barbecue n'avait pas l'air SI propre que ça. Il a répondu qu'il fallait juste donner un petit coup de brosse et que tout le noir

J'ai quand même dit :

Tu en es sûr ?
Ça a l'air vraiment dégoûtant.

Mais papa ne m'écoutait pas. Il regardait maman qui arrivait en *COURANT*, **COMPLÈTEMENT PANIQUÉE.**

J'avais TOTALEMENT oublié que Kevin, Alice et les enfants venaient déjeuner...

Quand ça ? a demandé papa.

Aujourd'hui... a répondu maman.

Ce qui n'aurait **pas** posé de problème si elle n'avait pas ajouté...

Dans cinq minutes !

– Oh, super, a commenté papa (mais pas sur un ton JOYEUX).

Maman a voulu savoir combien de temps le barbecue mettrait à chauffer. Et j'ai répondu :

– Ça prendra une ÉTERNITÉ, comme toujours.

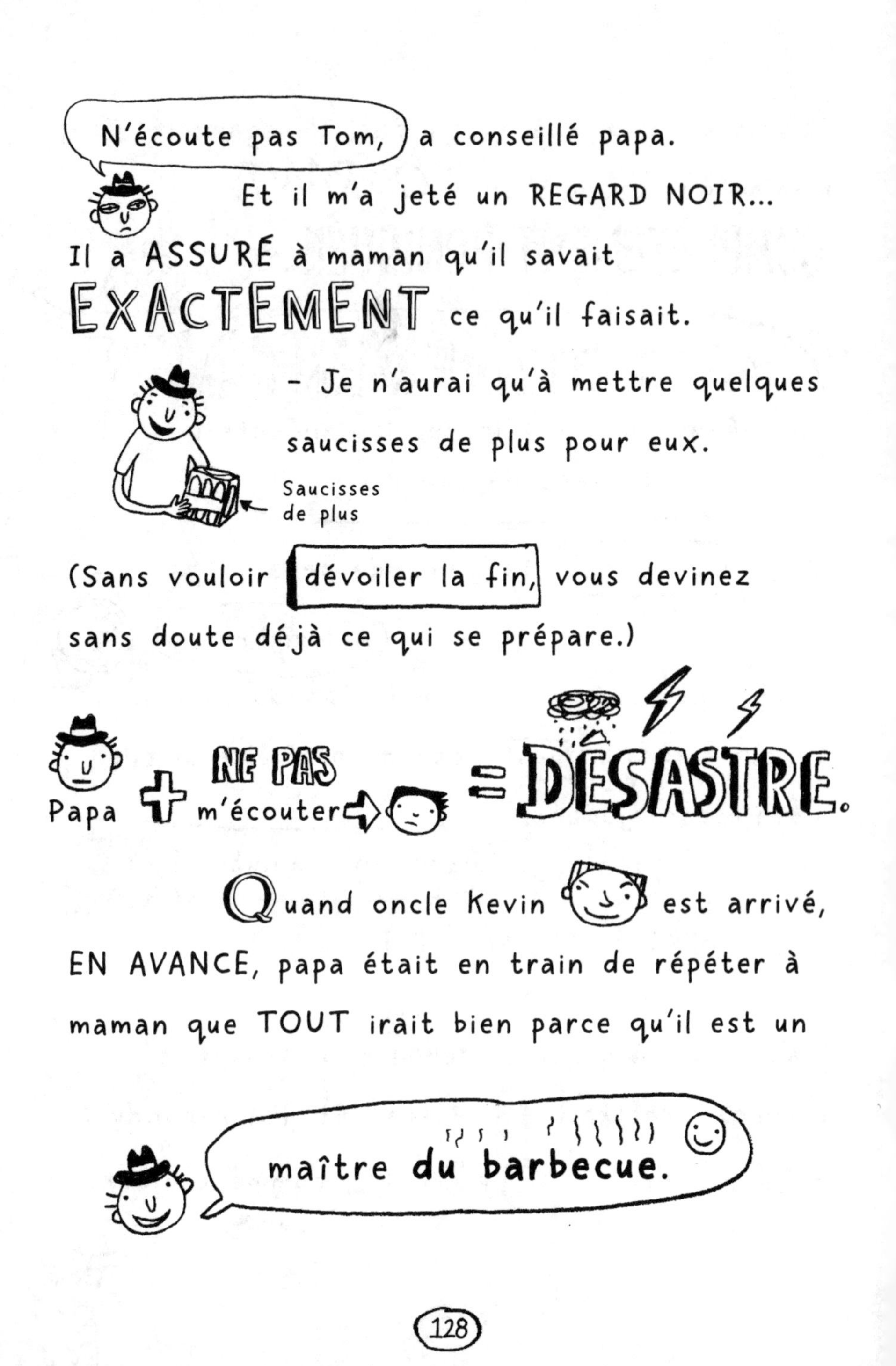

– N'écoute pas Tom, a conseillé papa.

Et il m'a jeté un REGARD NOIR...

Il a ASSURÉ à maman qu'il savait EXACTEMENT ce qu'il faisait.

– Je n'aurai qu'à mettre quelques saucisses de plus pour eux.

(Sans vouloir dévoiler la fin, vous devinez sans doute déjà ce qui se prépare.)

Papa + NE PAS m'écouter = DÉSASTRE.

Quand oncle Kevin est arrivé, EN AVANCE, papa était en train de répéter à maman que TOUT irait bien parce qu'il est un

maître **du barbecue.**

Et oncle Kevin a lancé :

SALUT ! Quelqu'un a parlé de maître du barbecue ? Je suis là !

– Super, a murmuré papa, il ne manquait plus que ça.

Et maman a suggéré qu'on laisse les deux maîtres des grillades **brûler** le déjeuner.

Papa n'a pas trouvé ça drôle.

À force d'entendre parler de saucisses, je commençais à avoir faim. J'espérais **VRAIMENT** que le barbecue ne prendrait pas trop de temps.

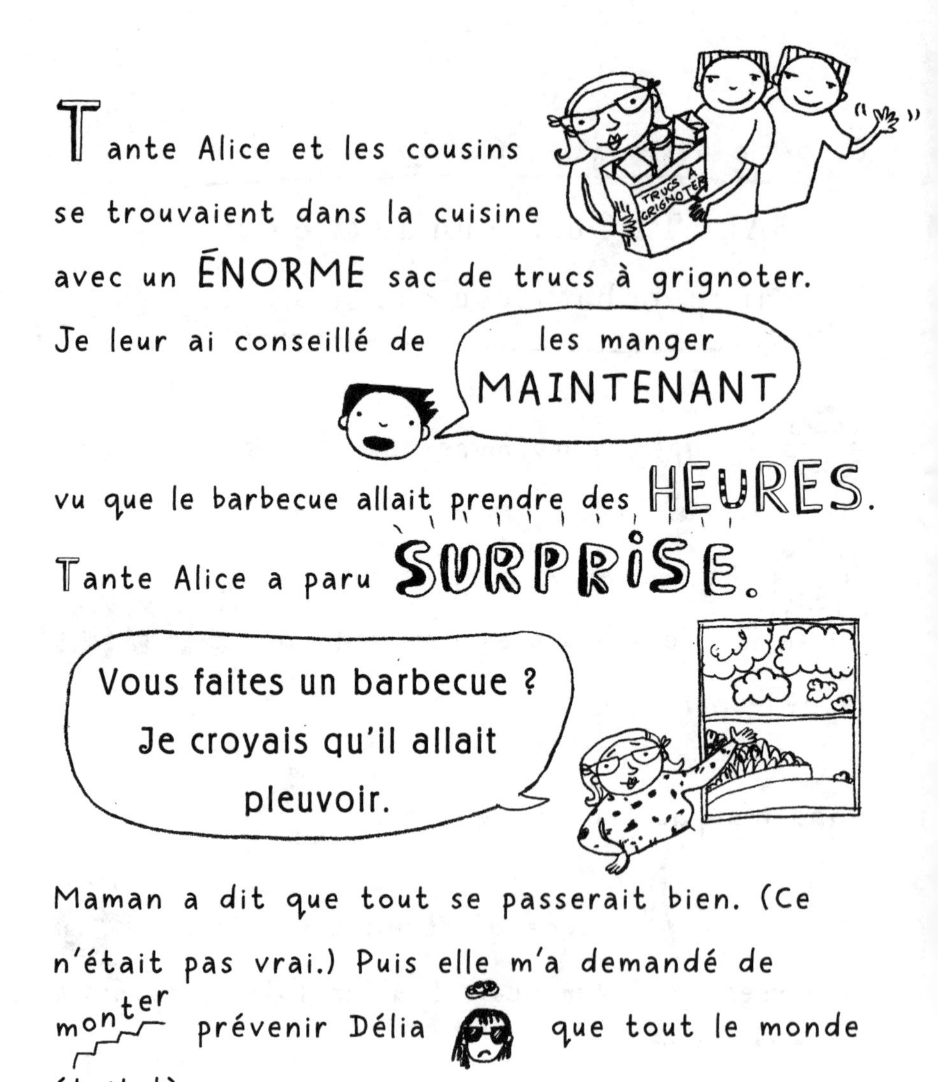

Tante Alice et les cousins se trouvaient dans la cuisine avec un ÉNORME sac de trucs à grignoter.

Je leur ai conseillé de les manger MAINTENANT vu que le barbecue allait prendre des HEURES.

Tante Alice a paru SURPRISE.

Maman a dit que tout se passerait bien. (Ce n'était pas vrai.) Puis elle m'a demandé de monter prévenir Délia que tout le monde était là.

J'ai répliqué :

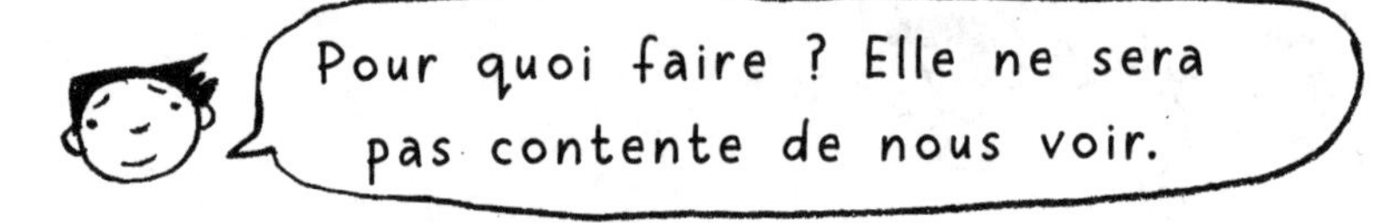

Ce n'était pas faux.

– Va quand même frapper à sa porte, a ordonné ma mère.

Mais J'ai eu une bien MEILLEURE idée.

J'ai montré aux cousins comment fabriquer des **pétards en papier** et comment s'en servir.

On les a tous emportés en haut et on s'est mis juste devant la porte de ma sœur. L'idée d'utiliser des pétards en papier pour faire comprendre à Délia que tout le monde était là, c'était carrément trop top !

On a fouetté l'air avec nos pétards, encore...
... et ENCORE...
PAN !
... et ENCORE...
PAN !
... et ENCORE...
Pan !
... et ENCORE...
Pan !
(Super, celui-là !)

Délia est sortie de sa chambre **comme une furie** et nous a dit d'ARRÊTER de jouer aux petits mômes infernaux.

Je lui ai dit que nos cousins n'étaient PAS petits, et qu'elle se montrait mal élevée.

Avant que Délia ne râle encore plus, maman nous a appelés.

Le déjeuner est bientôt prêt !

J'ai jeté un coup d'œil dans le jardin mais, tout ce que j'ai vu, c'était

Partout de la **FUMÉE NOIRE**

La fumée s'EPAISSISSAIT de plus en plus. Maman a couru dans toute la maison pour fermer les fenêtres et empêcher la FUMÉE d'entrer. Je n'arrivais même pas à voir papa. Je l'entendais juste appeler du jardin envahi par la fumée pour qu'on lui...

apporte un plat, VITE !

En fait, oncle Kevin ne s'est pas révélé d'une grande aide. Il s'est réfugié dans la maison en disant que la fumée lui brûlait les yeux et qu'il ne pouvait pas s'arrêter de tousser.

Teuh !

Teuh !

Maman m'a donné un plat 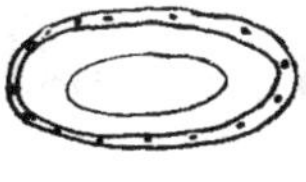 à apporter à papa (ce que j'ai fait).

Et puis la  **fumée** s'est dissipée, et j'ai vu que les saucisses paraissaient un peu

trop cuites ?

Papa a dit que, sur un barbecue, c'était important de bien faire cuire la viande, et que je ne devais pas m'inquiéter.

Elles sont **parfaites.**

J'ai regardé papa retourner les saucisses et continuer de les faire cuire. Je n'en avais jamais vu de cette couleur.

J'ai demandé à papa si c'était prêt, et il m'a répondu : PRESQUE.

Alors, j'ai fait remarquer :

– Dis donc, papa, elles n'ont pas l'air un peu **brûlées**, les saucisses ?

Et il a répondu :

– Pas du tout. Elles sont **JUSTE À POINT.**

Mais quand il a voulu sortir les saucisses du barbecue pour les poser dans le plat de service, elles étaient **TOUTES super collées** à l'espèce de **crasse NOIRÂTRE** restée sur la grille. J'ai rappelé à papa qu'il avait dit que tout le **NOIR** partirait pendant la cuisson.

Alors il m'a conseillé de retourner à la maison pour trouver quelque chose de plus UTILE à faire.

Dis à tout le monde
que le déjeuner
est sous contrôle.

(Ce n'était pas vrai.)

J'ai laissé papa gratter ses saucisses en essayant de les garder entières pour les mettre dans le plat.

Maman s'efforçait de chasser la fumée de la cuisine à coups de torchon. Elle m'a demandé comment ça se présentait, et j'ai répondu

Ça va...
enfin, presque...

ce qui n'était pas EXACTEMENT ce qu'elle avait envie d'entendre.

Les cousins avaient suivi mon conseil et mangé tout ce qu'ils avaient apporté.

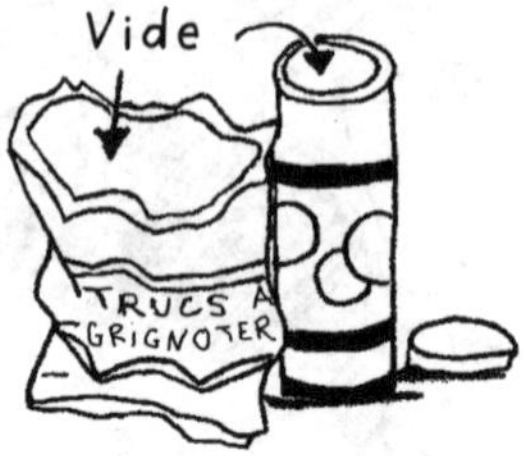

Ils s'étaient remis à jouer avec leurs pétards en papier. J'ai joué avec eux et me suis aperçu que si je FOUETTAIS l'air au bon moment...

... je n'entendais pas un mot de ce que maman disait.

– Pardon, maman ?

Ça m'a au moins fait penser à autre chose qu'au barbecue cramé qui nous attendait.

ENFIN, papa a surgi parmi les petits nuages de fumée qui TOURNOYAIENT encore.

Il paraissait très content de lui et portait un grand plat de saucisses (**carbonisées**). Enfin, il portait ce plat… jusqu'au moment où j'ai fait PÉTER mon pétard en papier INCROYABLEMENT **FORT**…

... qui s'est retrouvé couvert d'herbes... et de tout un tas de fourmis.

À l'instant où papa se disait que ce barbecue ne pouvait pas être pire, il s'est mis à **PLEUVOIR.**

Fort.

Oncle Kevin a pu rouvrir les yeux juste à temps pour voir toutes les saucisses cramées par terre.

coupable

Papa a dit que c'était à cause de mon pétard en papier qu'il avait fait tomber le plat, et les cousins n'arrêtaient pas de demander ce qu'on allait manger pour le déjeuner, maintenant.

Faim

Oncle Kevin, lui, a dit :

C'est pas un barbecue,
c'est une CATASTROPHE !

C'était peut-être vrai, mais **pas** très utile (et ça a vraiment agacé papa).

J'ai essayé de faire une suggestion, mais tout le monde a été distrait par COQ (le chien de Derek).

Il a soudain BONDI par-dessus la clôture et a attrapé une saucisse.

Papa a proposé de remettre des saucisses sur le barbecue, puisqu'il était encore chaud. Mais maman n'était pas très pour, et les autres non plus. Surtout quand les cousins ont montré les fourmis qui grouillaient partout.

Puis Délia est arrivée et a demandé :

Où est la bouffe ?

Maman a montré les saucisses par terre, et Coq, qui en mangeait une autre.

Et c'est à ce MOMENT-LÀ que j'ai réussi à

SAUVER LA SITUATION...

... en suggérant qu'on pourrait peut-être

C'était la première fois de TOUTE la journée qu'on m'écoutait, moi.

(Mieux vaut tard que jamais.)

Fin.

Voilà, maintenant que c'est fini,

je vais gribouiller quelques MONSTRES.

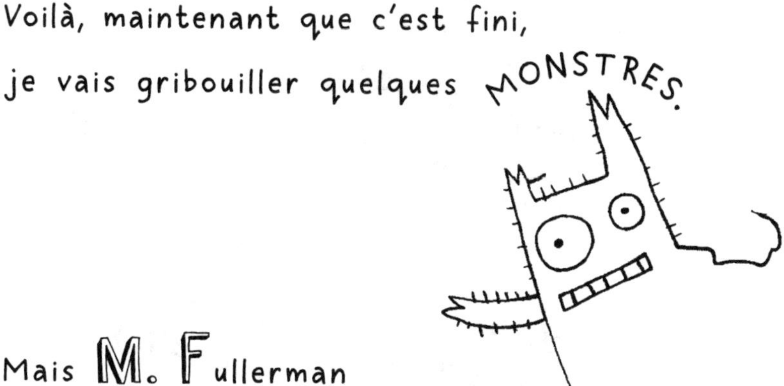

Mais M. Fullerman

s'en APERÇOIT.

Il annonce à la classe que si on a terminé on doit lui

« apporter vos cahiers pour qu'ils soient corrigés tout de suite ».

Je lui donne mon cahier,

en espérant que ça ira.

Bravo, Tom.
Très bon travail.
5 bons points.

Continue comme ça et tu
seras encore dans le bulletin
d'information du **MOIS PROCHAIN** !

M. Fullerman

J'avais oublié qu'on parlerait de mon EXCELLENTE COUVERTURE* de cahier de dessin dans le BULLETIN – oh, et qu'en plus il y aurait la PHOTO prise par Mme Marmone.

* Pour toute l'histoire, voir page 363 de *Tout est génial (ou presque...)*.

Il faudra que j'en prenne PLUSIEURS exemplaires que je laisserai traîner dans la maison pour rappeler à mes Parents à quel point je travaille **bien** et mérite des compliments genre

en espérant qu'ils montreront fièrement le BULLETIN aux FOSSILES. Lesquels me fileront peut-être un peu d'argent de poche pour me récompenser d'être un petit-fils aussi GENTIL et travailleur.

Ensuite, maman collera le BULLETIN sur le frigo. (Si elle ne le fait pas, c'est moi qui m'en chargerai.) Et Délia en sera verte de jalousie.

J'ai trop hâte !

M. Fullerman dit que malheureusement, et pour des raisons diverses, le BULLETIN de ce mois-ci n'est pas encore prêt.

(raisons diverses)

Heureusement que j'ai d'autres sujets de réflexion que mon apparition dans le BULLETIN de l'école.

Par exemple :

- Qui sera choisi comme tuteur ? Moi ? Peut-être ? Peut-être pas ?
- D'autres idées trop top pour enquiquiner Délia.

- Le PROCHAIN clip des CLEBSZOMBIES.

Derek, Norman et moi, on a envie de faire un CLIP pour les CLEBSZOMBIES (notre GROUPE). On n'arrête pas de regarder ceux de RODEO 3 et on s'est dit que ce serait GÉNIAL et cool d'en faire un aussi. Ça fait une **éternité** qu'on en parle.

Faisons un clip.

Le père de Derek a dit qu'il pouvait nous aider. Ça me va, tant qu'il ne cherche pas à se mêler **DE TOUT** (comme d'habitude).

C'est moi !

Il nous a déjà suggéré de regarder des « **grands classiques du clip** ».

Comment ça, vous n'avez jamais vu Sledgehammer ?

Non.

Non.

Non.

Pendant que je suis occupé à chercher des idées de CLIP, M. Fullerman me fait SURSAUTER en lançant...

– Toi aussi, Tom, MAINS EN L'AIR !

Parce qu'il continue à nous faire faire des EXERCICES DE GYM en vue de la JOURNÉE DU SPORT aux moments où on s'y attend le moins. Comme maintenant. Ça devient très DIFFICILE de TERMINER mon grand dessin. Et Marcus n'arrête pas de rapporter dès que je m'y mets. Heureusement pour moi, il commence aussi à porter sur les nerfs de M. Fullerman. Le prof lui dit de s'occuper de son travail.

M'sieur

Je suis tout à fait d'accord.

Humpfffff !

J'ai dû me servir de TOUS les stratagèmes excellents que je connais pour terminer ce dessin.

Stratagème 1.

Disposer une muraille de livres autour de moi. Ça marche toujours.

Stratagème 2.

Regarder droit devant moi tout en dessinant. (Ça demande BEAUCOUP d'entraînement.)

Stratagème 3.

Se pencher si bas sur mon travail que M. Fullerman ne peut pas voir ce que je fais. Comme ça... ça a l'air de marcher. Même Marcus ne voit rien.

OUAIS !
O.K. !
Clebszombies
Monstre
ARGH!
GrAnD dessin
TA DAM !
Mission accomplie.
Un dessin de fait.

(Comme il y a MATHS demain, je devrai sans doute en commencer un autre pour tenir le coup.)

C'est aujourd'hui qu'on va savoir pour les tuteurs...

Oh, et on a maths aussi. :(

(J'ai des idées de dessins si jamais je m'ennuie.)

Ce n'est pas si tragique si on ne me choisit pas. Je certifie à AMY qu'elle sera prise à tous les coups.

– Je n'en suis pas si sûre, réplique-t-elle.

– Comment peux-tu dire ça ?

– Qui voudrait me choisir ? proteste-t-elle.

Alors je lui glisse :

– Tu ne voudrais pas choisir un imbécile, si ?

– Merci, Tom.

C'était censé être un compliment, mais, à la façon dont AMY m'a dit « Merci, Tom », j'ai peut-être raté mon coup.

M. Fullerman distribue une lettre sur les futurs tuteurs et ce qu'ils auront à faire.

DEVENIR TUTEUR

Servir de tuteur aux élèves plus jeunes constitue un rôle d'une grande responsabilité. On attend de la part des tuteurs qu'ils soient gentils, prêts à aider, qu'ils sachent écouter et se montrent de bon conseil. Vos professeurs sont là pour vous aider. Souvenez-vous d'être les meilleurs tuteurs possibles !

M. Fana

– **Si vous n'êtes pas choisis cette fois-ci,** dit-il à toute la classe, **vous aurez une autre chance au trimestre prochain.**

Puis il remet une lettre à

Je m'écrie :

Je te l'avais dit !

Et une à... **MOI** !

On dirait bien que je vais

être tuteur d'un petit

de **CE1** ?

Voyons qui c'est.

Joël Daussonne.

Ce nom sonne familier.

Marcus n'est pas choisi cette fois-ci. Il regarde

par-dessus mon épaule pour voir de qui je serai tuteur.

– Ha ! Ha ! s'esclaffe-t-il. Ce gosse est une catastrophe.

Alors je réplique :

– Eh bien, je vais essayer d'être un **BON** tuteur et d'empêcher que ça ne lui arrive.

Et puis, tout à coup, ça me revient.

(Je suis certain que Joël Daussonne n'est pas comme ça TOUT LE TEMPS, si ?)

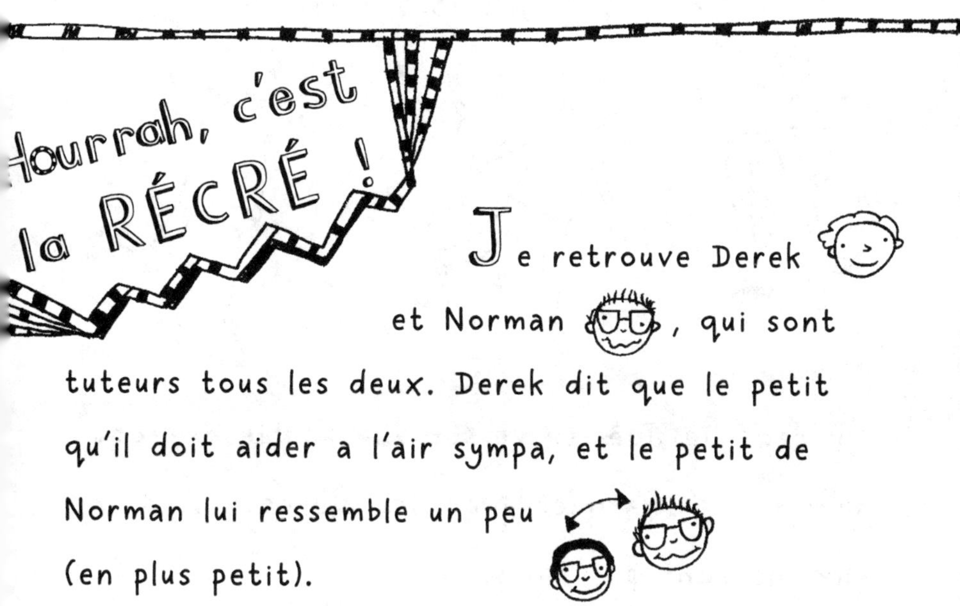

Je retrouve Derek et Norman, qui sont tuteurs tous les deux. Derek dit que le petit qu'il doit aider a l'air sympa, et le petit de Norman lui ressemble un peu (en plus petit).

J'aperçois Joël de l'autre côté de la cour.

Il me fait signe.

J'annonce à Derek et à Norman que c'est de lui que je vais m'occuper.

– Regardez, le voilà.

On regarde Joël traverser une partie de foot sans rien remarquer. Mais les élèves qui jouent, eux, ne sont pas ravis.

Je voudrais faire bonne impression en tant que tuteur, alors je déclare :

– Merci de m'avoir choisi, Joël !

Joël sourit, mais ne répond rien.

J'essaye de me rappeler ce qu'il y avait dans la lettre et comment je suis censé accomplir mon rôle de tuteur.

J'ajoute :

– Est-ce qu'il y a un truc qui t'inquiète, Joël ?

Il fait non de la tête.

– L'école, peut-être ?

Joël secoue encore la tête.

– Il y a des copains ou des profs qui t'embêtent ?

Joël secoue la tête.

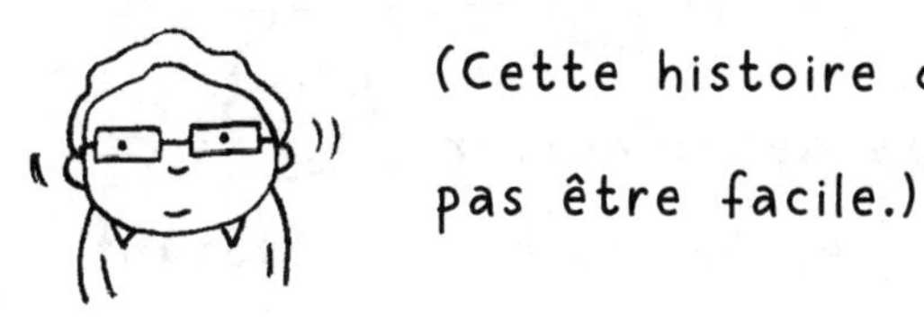

(Cette histoire de tuteur ne va pas être facile.)

Et puis je lui demande :

– Est-ce qu'il y a une question que tu aimerais me poser ?

Joël réfléchit un instant... et lâche :

– Oui, est-ce que je peux entrer dans ton groupe, s'il te plaît ?

Ce qui nous prend tous par surprise.

Je ne m'attendais pas à cette question.

J'explique à Joël qu'on ne cherche pas de nouveau membre pour l'instant.

– Mais tu peux venir assister à la prochaine répétition, si tu veux.

– Ça serait **super**, dit Joël.

Et il se met à faire des bonds en frappant l'air avec ses poings et en répétant « Ouais ! Ouais ! », ce qui est assez marrant !

... Jusqu'au moment où, sans le faire exprès, il donne

à M. Fullerman, qui doit surveiller la cour. M. Fullerman n'est pas très content, d'autant plus qu'il a renversé sa tasse de thé.

– Joël, dit-il, **tu dois faire plus attention !**

Et ajoute :

– Tom, tu es son tuteur. Tu devrais le surveiller.

Comme si c'était ma faute ! (Ça ne l'était pas.)

Derek et Norman trouvent que c'est une MAUVAISE idée d'inviter Joël à venir assister à une répétition.

– Il va casser quelque chose, proteste Derek.

– Il est pire que moi, renchérit Norman.

En tout cas, une séance de répétition et un autre concert **ne feraient pas de mal** à notre groupe.

La dernière fois qu'on a joué, c'était pour le CLUB des GÂTEAUX et Cuistots de 70 et Plus de Mamie Mavis. (Est-ce que ça compte vraiment pour un concert ?)

Je promets à Norman et à Derek que, si Joël vient, je veillerai à ce qu'il ne touche (ni ne casse) rien.

Pas un geste

(Je ne sais pas comment... mais j'essayerai.)

(Les Gâteaux et Cuistots

de 70 et Plus de ma grand-mère.)

et autres détails intéressants

M. Fana, notre directeur (ou M. FANAL, comme je l'appelle quand il devient **ROUGE DE COLÈRE**), nous annonce à l'assemblée générale que les BULLETINS seront à présent envoyés à nos parents par la poste.

– Avec d'autres informations IMPORTANTES et votre relevé de NOTES DU DEMI-TRIMESTRE !

J'espère que tout ce qu'on dit de BIEN de moi dans le BULLETIN compensera les trucs plus douteux qui se CACHENT peut-être dans mon RELEVÉ DE NOTES.

(Je croise les doigts pour qu'on n'y parle pas de FAUX MOTS D'EXCUSE ni de rien de ce genre.)

Mme Somme vient nous parler de

L'AUDITION POUR LE SPECTACLE DES JEUNES TALENTS DE L'ÉCOLE.

Elle dit qu'elle espère voir « BEAUCOUP D'ENTRE VOUS, QUI ÊTES TOUS SI DOUÉS, VENIR SE PRÉSENTER À L'AUDITION ! »

– Cette année, il s'agit d'un spectacle d'amateurs, poursuit Mme Somme. Tout le monde peut donc participer. Et il n'y aura qu'une seule répétition générale une fois que vous aurez été sélectionnés, contrairement à ce qu'il s'est passé pour la pièce de l'année dernière.

Ravi de l'apprendre.

(Balèze en arbre. Il était très bien.)

On pourrait peut-être faire participer les CLEBSZOMBIES, cette année, surtout avec ma NOUVELLE GUITARE et vu que les CLEBSZOMBIES ont maintenant SIX morceaux complets à leur répertoire.

Je nous vois déjà...

En classe, M. Fullerman a trouvé une AUTRE façon de nous faire faire des exercices pour LA JOURNÉE DU SPORT. On doit tous sauter pour toucher la flèche avant d'entrer dans la salle.

Ensuite, il nous explique ce qu'on va faire.

Premièrement, vous allez écrire **TOUT** l'alphabet, et, sous chaque lettre, vous allez dessiner vos propres symboles. Vous vous souvenez des hiéroglyphes égyptiens que nous avons regardés ?

Eh bien, c'est **EXACTEMENT** ce que je veux que vous fassiez.

J'ai trouvé que ça avait l'air un peu ennuyeux. Zzzzzzzz, je bâille, je bâille... Je m'apprêtais à commencer un nouveau dessin... quand M. Fullerman nous a donné des exemples de MESSAGES SECRETS écrits en code.

Il fallait trouver ce que voulait dire le message. C'était GÉNIAL !

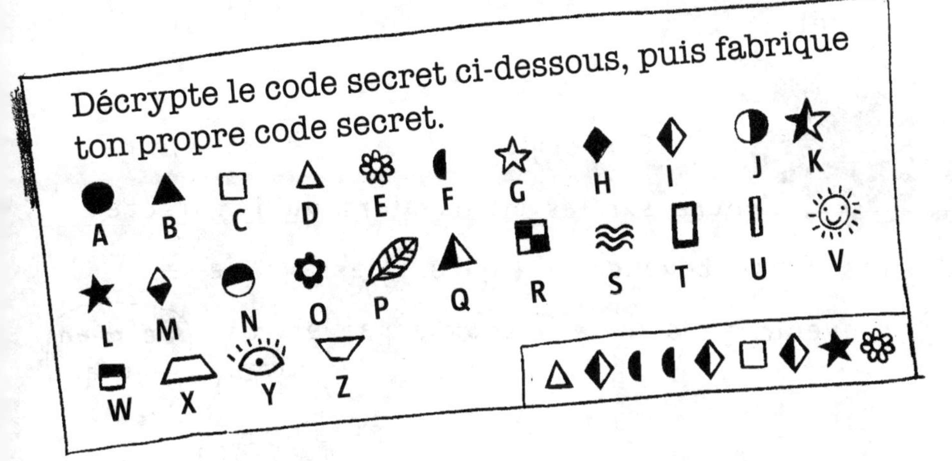

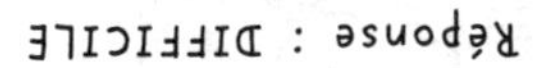

Ensuite, on devait donc inventer notre PROPRE CODE, ce qui pourrait se révéler TRÈS utile, surtout quand je ne veux pas que certains sachent ce que je suis en train d'écrire...

Marcus regarde ce que je fais et me RENIFLE dans l'oreille. Je lui demande d'arrêter les deux, et il me répond :

– Je me concentre déjà sur mon propre code secret.

(C'est pas vrai.)

Son stylo fuit, et il s'est mis de l'encre sur les mains alors qu'il n'arrête pas de se toucher la figure. J'essaye de le prévenir, mais il ne m'écoute pas et dit

Je m'en fiche.

(J'aurai essayé.)

Je passe le reste du cours à fabriquer mon propre code du

MONSTRE ALIEN

J'en suis très content !

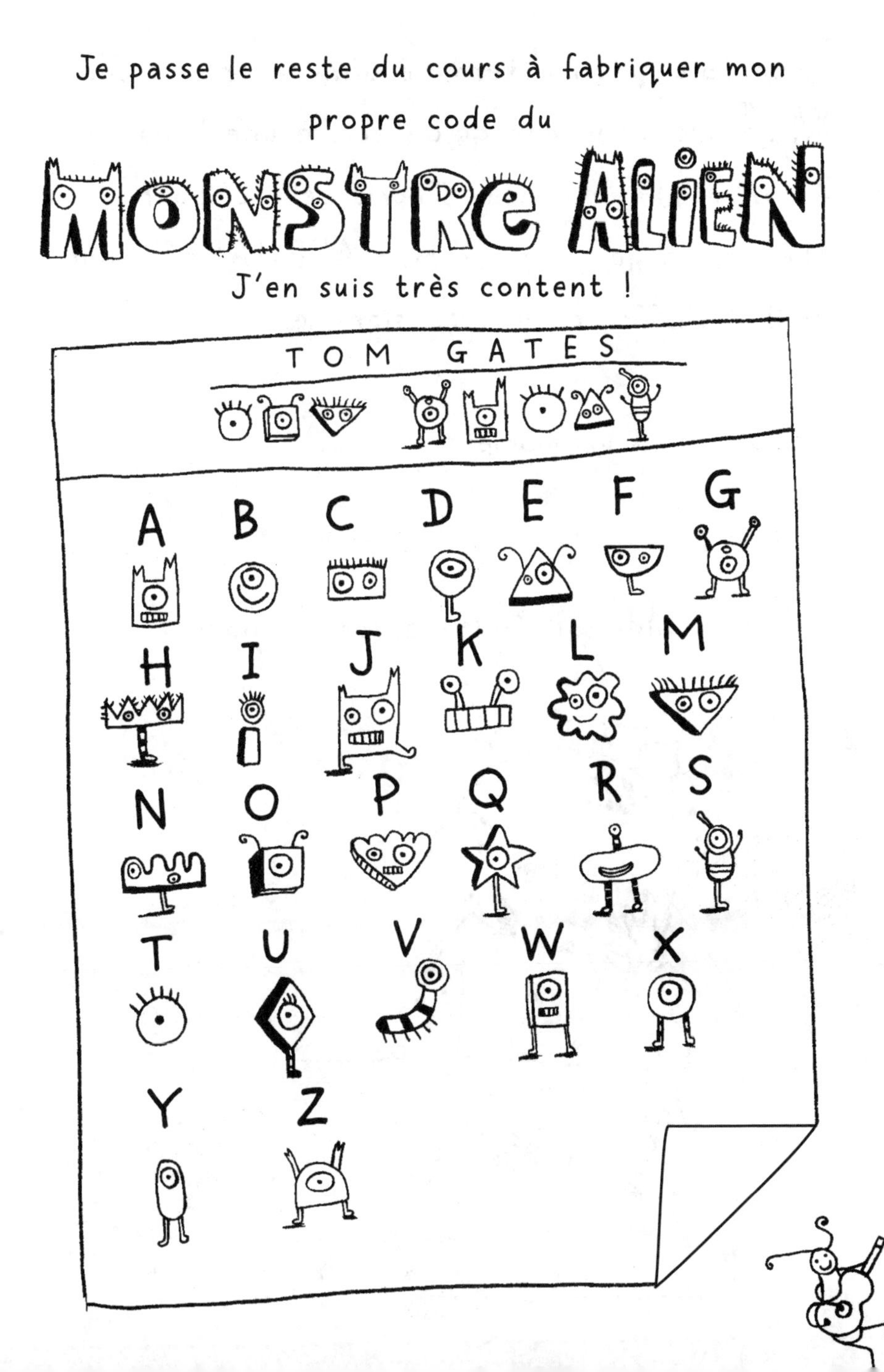

Une fois qu'on a terminé d'inventer son code, M. Fullerman veut qu'on écrive une lettre à son voisin de table. J'écris celle-ci pour Marcus, et je lui passe mon ALPHABET pour qu'il déchiffre ce que ça signifie.

Ça lui prend un moment.

Mais il finit par comprendre.

TOM GATES
A B C D E F G
H I J K L M
N O P Q R S
T U V W X
Y Z
Ha!
Ha!
* MARCUS, TU AS DE
L'ENCRE SUR LA FIGURE
PARCE QUE TON STYLO FUIT.

En fait, c'est plus difficile que je ne pensais, d'être tuteur. À CHAQUE récré et aussi pendant la pause-déjeuner, Joël débarque et dit :

Salut !

Mais c'est TOUT ce qu'il dit. (Joël ne parle pas beaucoup.) J'ai essayé de lui donner quelques tuyaux pour

se débrouiller à l'école des Chênes.

Mais c'est dur de savoir si ça l'intéresse ou pas.

M. Fullerman est (encore) de surveillance à la récré, et il regarde dans ma direction. Alors j'essaye de lui montrer que je suis un tuteur modèle.

Je propose à Joël de jouer au foot avec moi et deux ou trois copains.

– Juste pour taper un peu dans un ballon.

Et Joël fait OUI de la tête.

Je vais donc chercher un ballon et demande à Derek et à Balèze si ça les tente. On se fait des passes, tout doux, sans forcer. Joël est plutôt doué.

Il s'en sort BIEN. M. Fullerman se balade dans la cour pour surveiller tout le monde. Et (j'espère) remarquer comme je suis un BON tuteur. J'envoie une balle en HAUTEUR et lance :

– Joël... fais une tête !

Alors Joël SAUTE pour essayer de me renvoyer le ballon d'un coup de tête...

Enfin, je crois que c'est ce qu'il a voulu faire.

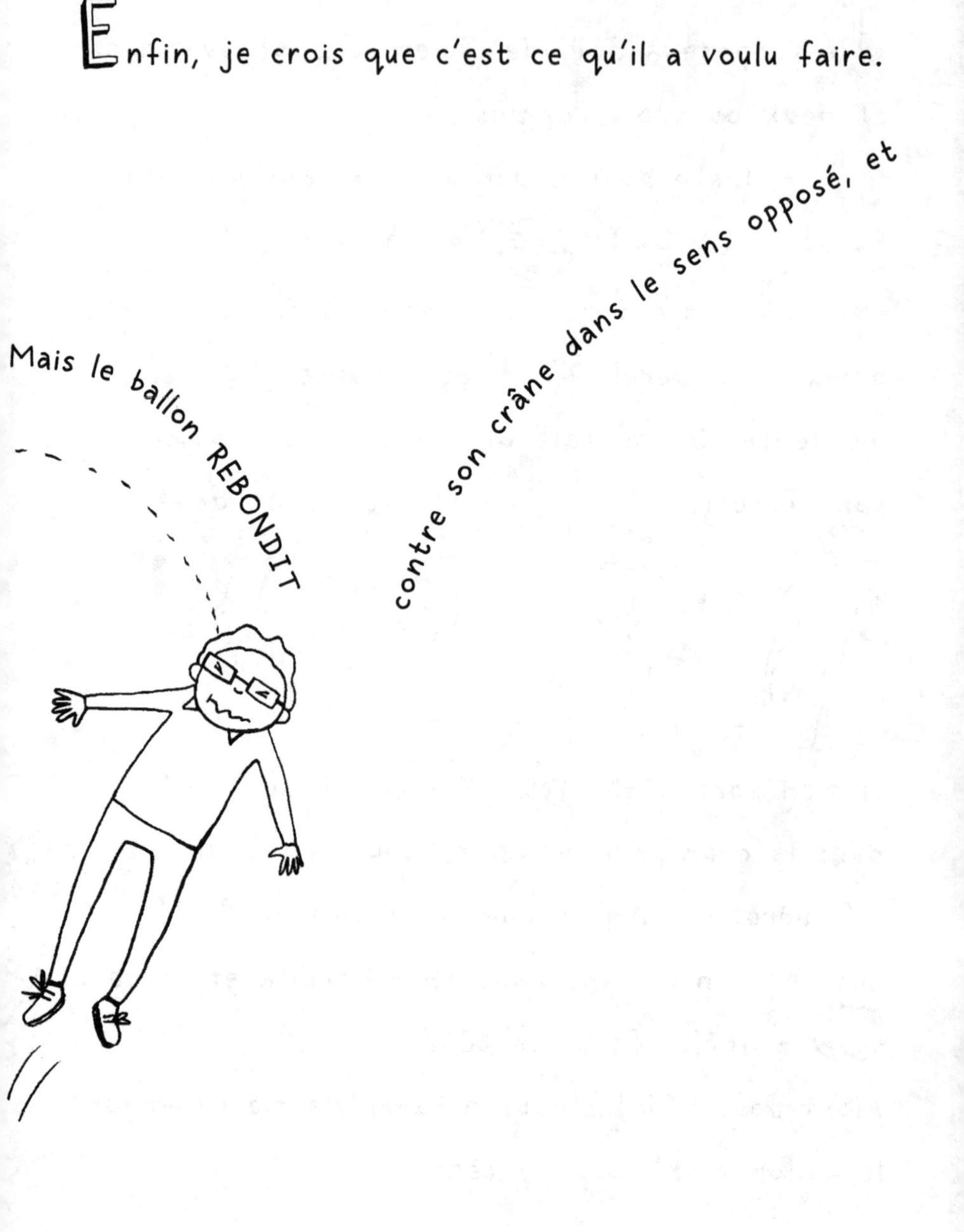

atterrit pile dans la tasse de thé de M. Fullerman.

Qui se renverse COMPLÈTEMENT (encore).

– BON SANG, Tom, s'écrie le prof, tu veux bien **REGARDER** où tu envoies ce ballon !

J'ai envie de crier : « **C'ÉTAIT PAS MOI !** »

Mais comme je suis un tuteur SYMPA, je me contente d'un...

– Pardon, monsieur.

Marcus, qui nous observe depuis un moment, s'approche.

- Je suis content de ne pas avoir à m'occuper d'un petit comme le tien, déclare-t-il.
- Il n'a pas fait exprès, pas vrai, Joël ? dis-je en me retournant.

Mais Joël est déjà rentré dans l'école, sûrement pour nous éviter, moi et M. Fullerman.
- Je t'avais dit que ce gosse était une catastrophe.

Je te remercie, Marcus.

Sur le chemin de la maison, Derek sort DEUX gaufrettes au caramel.

– C'est mon petit élève qui me les a données pour me remercier d'avoir été sympa.

Je me dis que je MÉRITERAIS des TONNES de gaufrettes pour ne pas avoir cafardé Joël. (Lequel est hors de vue depuis l'incident de la partie de foot.)

Derek me donne une de ses gaufrettes, ce qui est sympa de sa part. J'essaye de faire durer la mienne jusqu'à la maison en la mangeant par petits bouts.

Comme ça

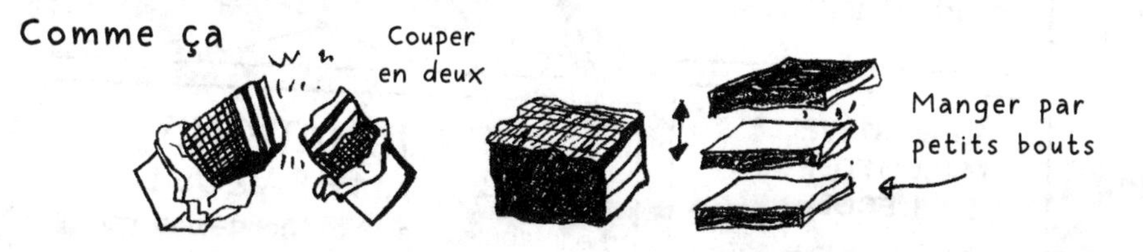

Je termine tout juste ma dernière bouchée minuscule quand j'arrive à la porte de chez moi, fonce dans la cuisine et trouve ça, collé SUR LE FRIGO !

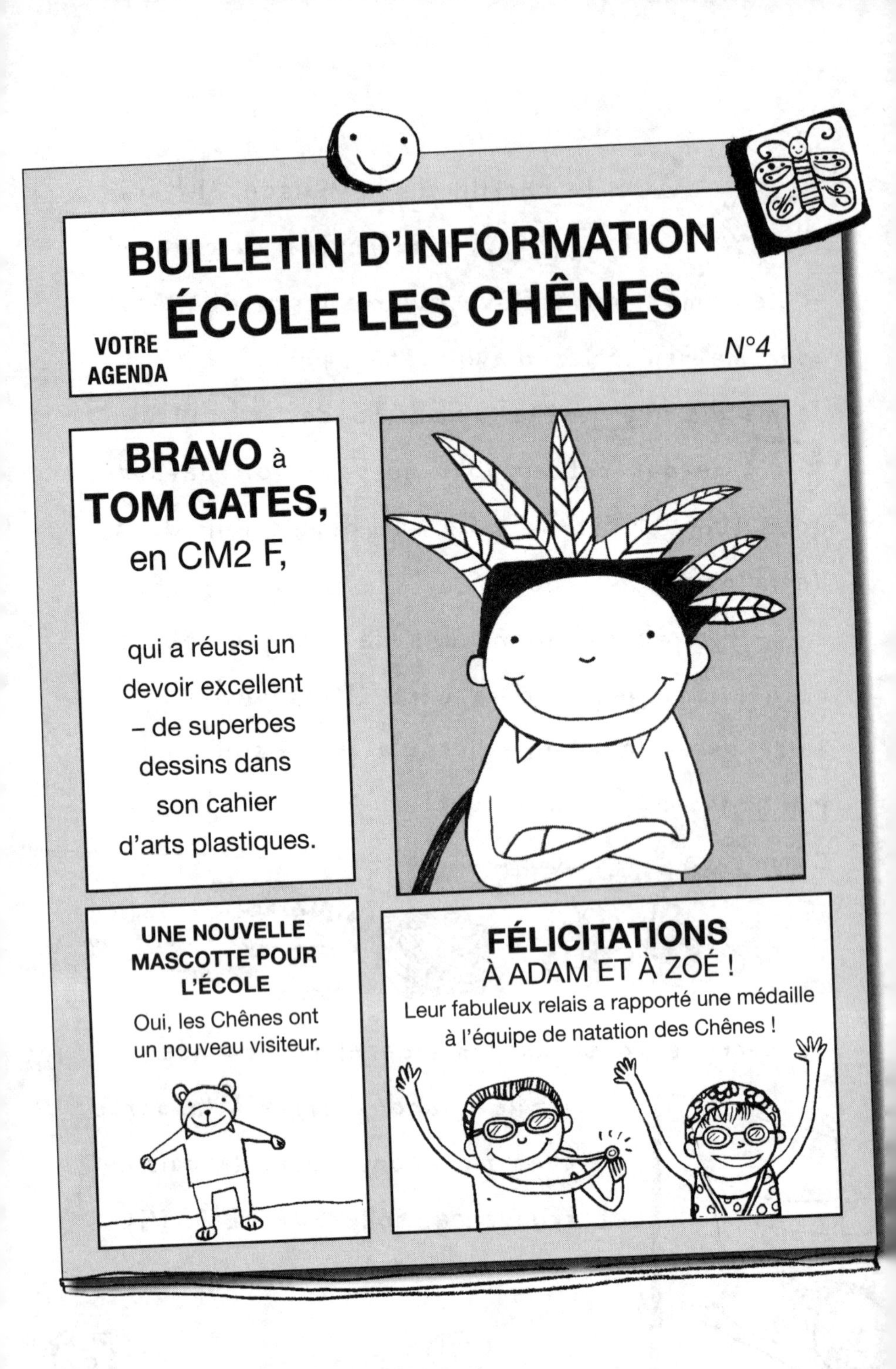

BULLETIN D'INFORMATION
ÉCOLE LES CHÊNES

VOTRE AGENDA

N°4

BRAVO à
TOM GATES,
en CM2 F,

qui a réussi un
devoir excellent
– de superbes
dessins dans
son cahier
d'arts plastiques.

UNE NOUVELLE MASCOTTE POUR L'ÉCOLE

Oui, les Chênes ont
un nouveau visiteur.

FÉLICITATIONS
À ADAM ET À ZOÉ !

Leur fabuleux relais a rapporté une médaille
à l'équipe de natation des Chênes !

Ma TÊTE ressemble à un ANANAS GÉANT.

(La honte.)

Maman assure qu'elle est TRÈS contente de moi. Mais il faudra qu'on ait une petite CONVERSATION au sujet de deux ou trois petites choses, dès que papa aura fini de travailler.

(Vraiment ? Ça n'annonce rien de bon.) Les seules fois où maman parle comme ça, c'est quand j'ai des ennuis ou quand Délia ME met sur le dos des trucs que je n'ai pas faits.

Délia est en haut et **SE PLANQUE** dans la salle de bains. Je vais lui demander ce qu'elle a ENCORE dit sur moi...

J'attends qu'elle sorte...

... et quand elle apparaît enfin, je remarque que ses cheveux ont pris une couleur TRÈS bizarre. On dirait un peu... du vert ?

C'est du **VERT** !

Je suis Délia, qui fonce dans sa chambre, pour MIEUX LA REGARDER.
Mais elle me claque la porte au nez et me lance :

Je l'interroge à travers la porte :

– Qu'est-ce qui est arrivé à tes cheveux, Délia ?

Tout ce qu'elle me répond, c'est :

– VA-T'EN, tu m'embêtes.

J'insiste quand même :

– Tu sais qu'ils sont tout **VERTS** ?

Puis :

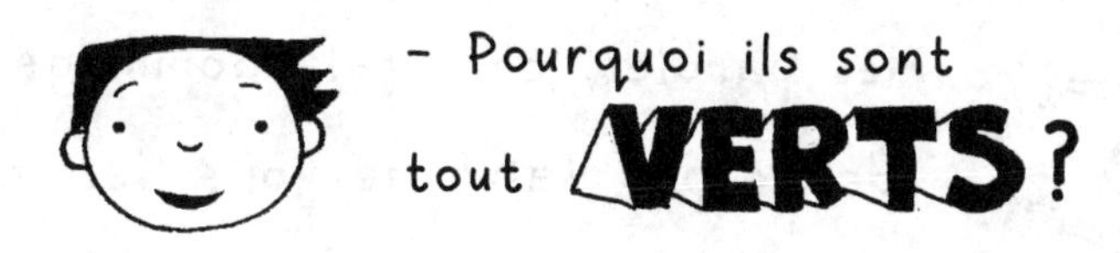

– Pourquoi ils sont tout **VERTS** ?

Délia me prévient que si je ne pars pas tout de suite, elle dira à maman que j'ai écrit moi-même des MOTS D'EXCUSE. Comment est-elle au courant ?

Je vais dans ma chambre et, pendant que j'essaye de trouver une explication pour le cas où les parents m'interrogeraient sur mon dernier mot d'excuse... j'ai une idée de **chanson**

TROP TOP !

Qui donne à peu près ça... (Maintenant que j'ai écrit les paroles, ce serait dommage de ne pas faire de jolis dessins pour aller avec, non ?)

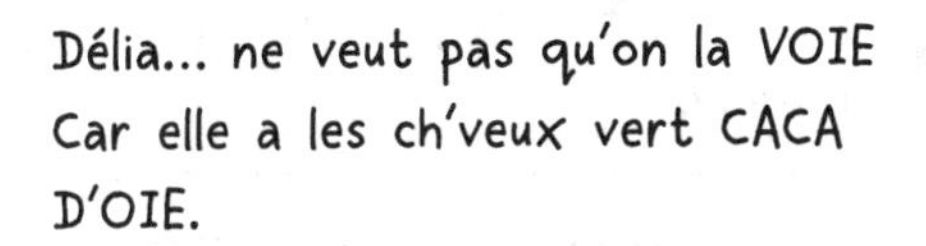

Délia... ne veut pas qu'on la VOIE
Car elle a les ch'veux vert CACA
D'OIE.

On croirait une couronne de FEUILLAGE,
De quoi mettre les parents en RAGE.

Elle voulait avoir de beaux CHEVEUX
Mais voilà, maintenant c'est HIDEUX.

Délia... a un sale CARACTÈRE.
Délia... a les cheveux tout VERTS.

Je descends (toujours en chantant ma nouvelle chanson), et maman voudrait savoir ce que je chante.

Je corrige :

Papa arrive alors de sa cabane au fond du jardin et me FÉLICITE d'être dans le BULLETIN. Puis il ajoute qu'il faut qu'on parle de deux ou trois bricoles.

Je change rapido de sujet en annonçant :

– Délia a les cheveux verts.

C'est à ce moment-là que **LES FOSSILES** (Mamie Mavis et Papy Bob) passent nous faire « un petit coucou ».

– Qui a les cheveux **VERTS** ? demande Mamie.

– Délia, je réponds.

Papy éclate de rire en disant :

– Elle, au moins, elle a des cheveux ; c'est pas comme moi !

Et j'ajoute : Ou comme Papa.

Ce qui est vrai mais ne paraît pas lui faire trop plaisir.

Maman monte voir Délia, et papa déclare qu'il va se changer.

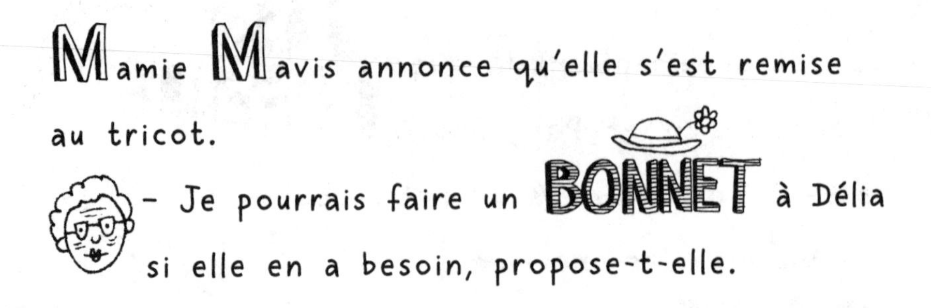

Mamie Mavis annonce qu'elle s'est remise au tricot.

– Je pourrais faire un BONNET à Délia si elle en a besoin, propose-t-elle.

Quelle BONNE idée ! Je devrais peut-être aider Mamie en lui soumettant quelques modèles. Dans ce genre...

(Celui-ci est mon préféré.)

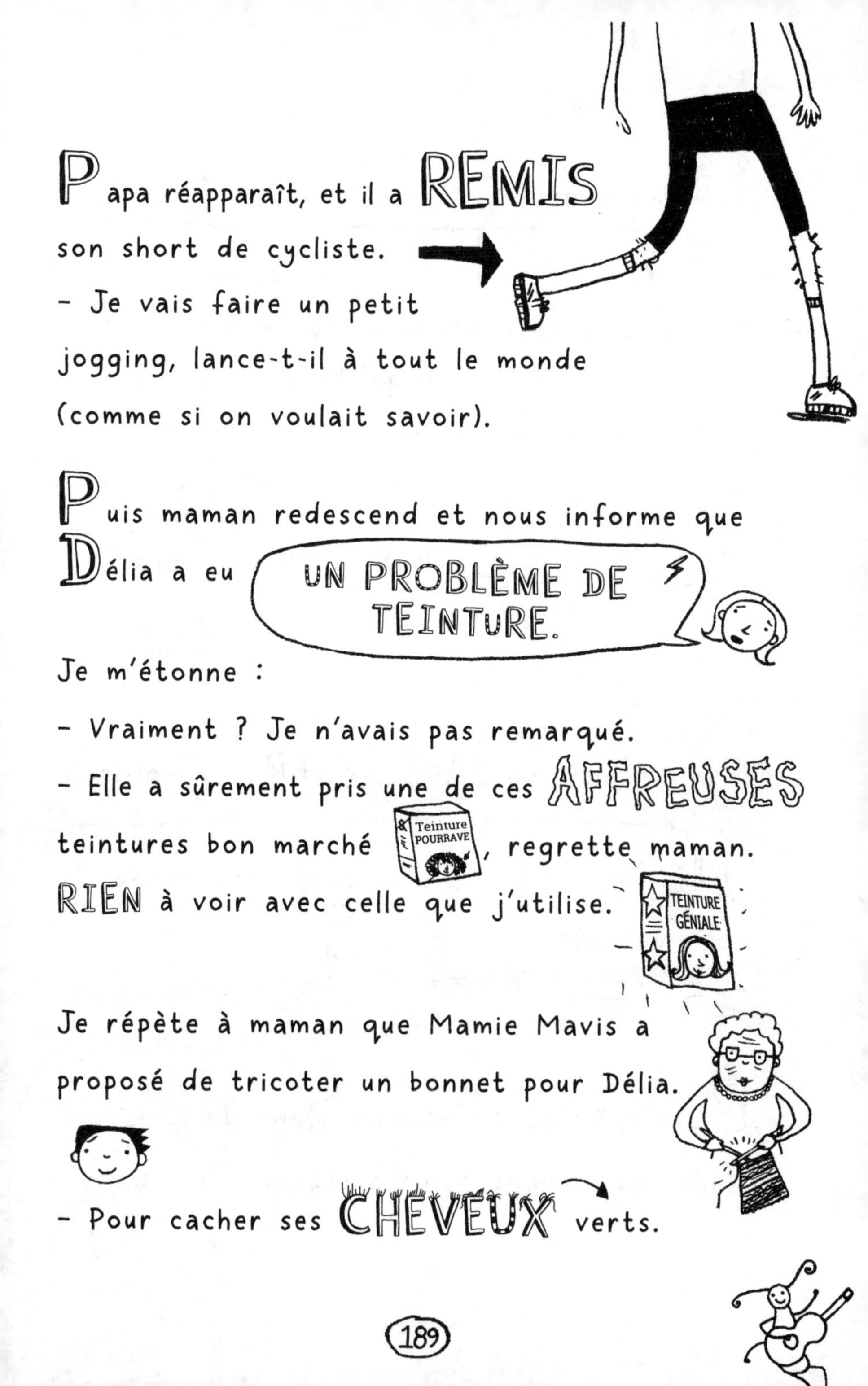

Papa réapparaît, et il a REMIS son short de cycliste.

– Je vais faire un petit jogging, lance-t-il à tout le monde (comme si on voulait savoir).

Puis maman redescend et nous informe que Délia a eu UN PROBLÈME DE TEINTURE.

Je m'étonne :

– Vraiment ? Je n'avais pas remarqué.

– Elle a sûrement pris une de ces AFFREUSES teintures bon marché, regrette maman. RIEN à voir avec celle que j'utilise.

Je répète à maman que Mamie Mavis a proposé de tricoter un bonnet pour Délia.

– Pour cacher ses CHEVEUX verts.

Maman explique :

En fait, cette histoire de cheveux l'atteint profondément, et Délia ne veut voir personne parce qu'elle se sent trop...

Comme un arbre ? je propose.

Maman me jette un SALE REGARD et corrige :

NON, Tom, elle se sent trop gênée et déprimée.

– Pauvre Délia, dit Mamie, avant de nous déclarer qu'ils vont faire quelques courses.

(Vu la liste de Mamie, ce n'est pas pour de la cuisine classique.)

Maman dit au revoir aux FOSSILES, qui lui souhaitent BONNE CHANCE pour tout arranger.

Maman a été TOUTE gentille et compatissante avec Délia pour son problème de cheveux.

Jusqu'au moment où elle a découvert que Délia s'était en fait servie de SA teinture.

Du coup, elle n'est PAS contente du tout !

Il est assez tard quand papa rentre de son jogging. Il a la figure CRAMOISIE et il boite un peu.

– Je souffre atrocement, dit-il. J'ai dû me faire un claquage.

– Est-ce que ça fait aussi partie de ton programme de remise en forme super élaboré ? demande maman. Au moins, ça te fera une excuse pour ne pas participer à la COURSE DES PARENTS pendant la JOURNÉE DU SPORT de Tom.

Comment est-elle au courant pour ma JOURNÉE DU SPORT ? Je n'en avais parlé à personne. Surtout après la course de l'année dernière.

J'interviens :

– C'est pas la peine de venir. On est toujours DERNIERS, de toute façon.

Papa assure que ça ira et qu'il a hâte de courir et de BATTRE le père de Derek, cette fois-ci. (Pas moi.)

Maman veut savoir si je vais passer l'audition de demain pour les jeunes talents de l'école. Comment peut-elle être au courant ?

– J'ai lu le BULLETIN et ton RELEVÉ DE NOTES aussi.

Oh ! Oh ! Mon relevé de notes est arrivé.

Papa me dit :

Ce qui me rappelle qu'il faut qu'on parle de ton carnet de notes, Tom.

(Ça commence à m'inquiéter.)

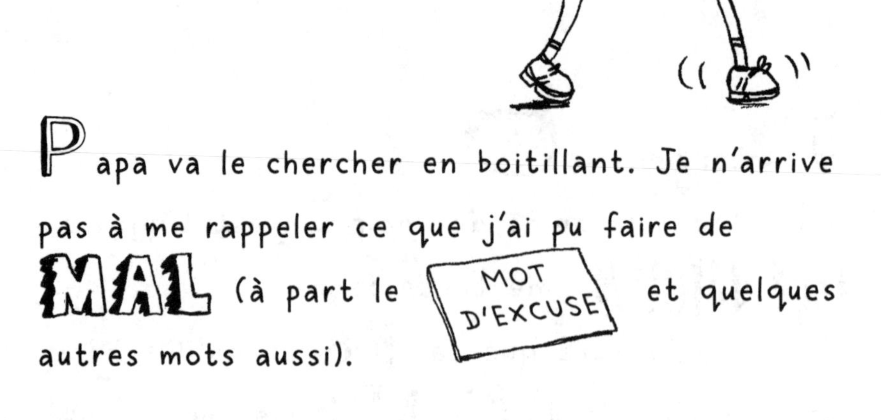

Papa va le chercher en boitillant. Je n'arrive pas à me rappeler ce que j'ai pu faire de **MAL** (à part le MOT D'EXCUSE et quelques autres mots aussi).

Les parents me regardent tous les deux avec une mine sévère. Ils me disent :

- **Tom**, nous sommes très **étonnés** que...

... tu travailles AUSSI BIEN ! C'est super. Bravo ! Continue comme ça !

OUAH ! C'est une première, pour moi. Mon carnet de notes est en général rempli de choses comme :

Tom bavarde/dessine trop.
Tom ne fait pas assez ses devoirs/ses maths.

Mais maintenant, sur une échelle qui va de stupide à génial, je me trouve à peu près là :

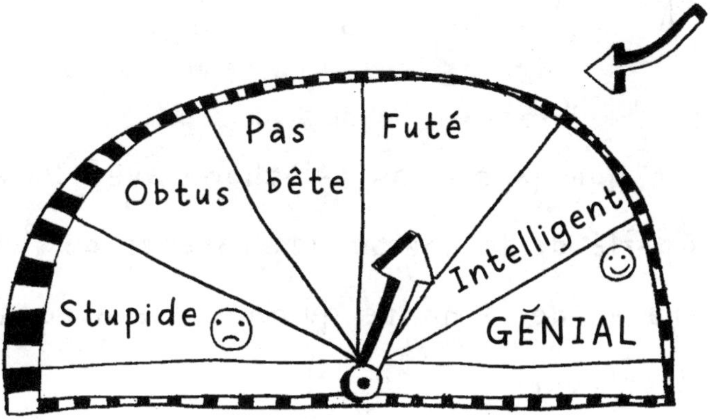

Stupide
Obtus
Pas bête
Futé
Intelligent
GÉNIAL

Maman pense que je devrais profiter de ma

nouvelle guitare pour présenter les CLEBSZOMBIES au spectacle des jeunes talents.

– Tu réussis tellement partout !

Pas faux. On **devrait** peut-être essayer ?

J'appelle d'abord Norman, puis Derek, pour voir s'ils sont d'accord.

Ils le sont.

Pendant que je suis au téléphone avec Derek, je lui parle de la course des parents de l'année dernière et de la honte qu'on a eue à regarder nos pères courir.

C'est alors que je pense à un truc **Horrible.** **Son short de cycliste...** Mon père est capable d'y aller avec son short de cycliste !

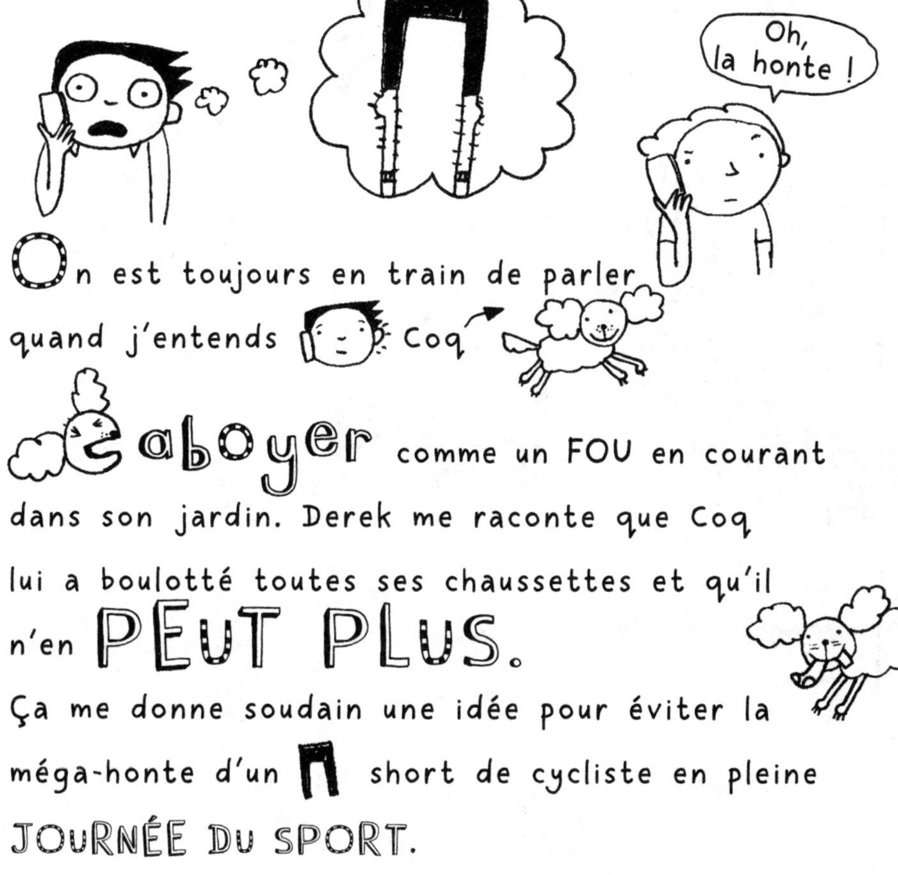

On est toujours en train de parler quand j'entends Coq aboyer comme un FOU en courant dans son jardin. Derek me raconte que Coq lui a boulotté toutes ses chaussettes et qu'il n'en PEUT PLUS.

Ça me donne soudain une idée pour éviter la méga-honte d'un short de cycliste en pleine JOURNÉE DU SPORT.

(Idée de génie.)

Maintenant que le short de cycliste de papa a disparu comme par miracle, ça ne me fait rien que mes parents viennent à la JOURNÉE DU SPORT.

J'ai intérêt à penser à apporter TOUTES mes affaires de sport (pour une bonne raison).

Mets ça.

Sur le chemin de l'école, Derek me raconte que son père

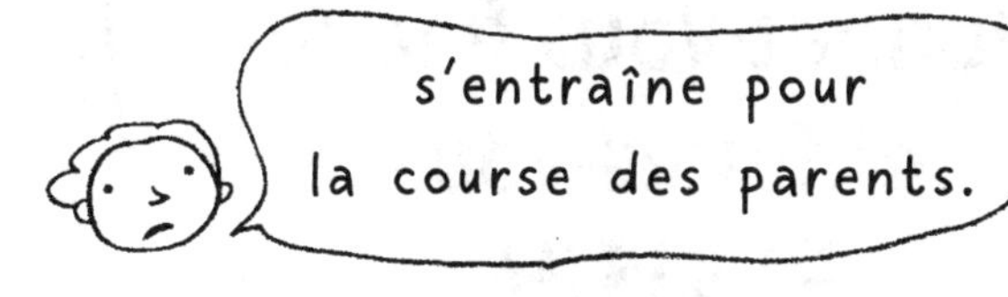

Vraiment ?
Ouah, c'est gênant.

Avant d'aller sur le terrain de sport, M. Fullerman cherche à motiver la classe en nous faisant ce qu'il appelle un

briefing stimulant.

Il a les yeux encore plus **grands** que d'habitude tellement il est excité.

Je glisse à AMY :

– En fait, ce qu'il veut dire, c'est... ne soyez pas nuls et n'arrivez pas encore derniers.

C'est vrai.

Le terrain de sport est divisé en sections selon les disciplines auxquelles on doit participer. Mme Cherington fait SONNER une grosse cloche pour lancer chaque « sport » ou chaque course.

Les classes obtiennent des points pour

les buts marqués

les sacs de pois attrapés

les balles renvoyées

les sauts en longueur réussis

les hula-hoopés

Quand toutes les classes ont participé à tous les « sports », on fait la somme des points et on annonce les VAINQUEURS – après la course des parents, évidemment.

Les élèves de M. Pignon portent des gilets avec des SLOGANS dessus pour avoir l'air d'une vraie équipe.

Nous, on a juste l'air… de la classe de CM2 F. Mme Cherington sonne la cloche pour lancer le premier tour.

Balèze nous fait très bien commencer avec une prestation de hula hoop spectaculaire. Mark Klump et Ambre Tulley Green se débrouillent bien aussi. Ce n'est pas mon « sport » favori, mais j'arrive à ajouter quelques points quand même.

Le lancer de sacs de pois est un DÉSASTRE.

On n'arrive pas à en rattraper un seul, et les sacs volent dans tous les sens. Heureusement, Leroy Lewis et Ross White font du bon boulot et rattrapent les leurs.

Marcus se plaint que ça le gratte alors qu'il N'ARRÊTE PAS de sauter à l'épreuve de lancer.

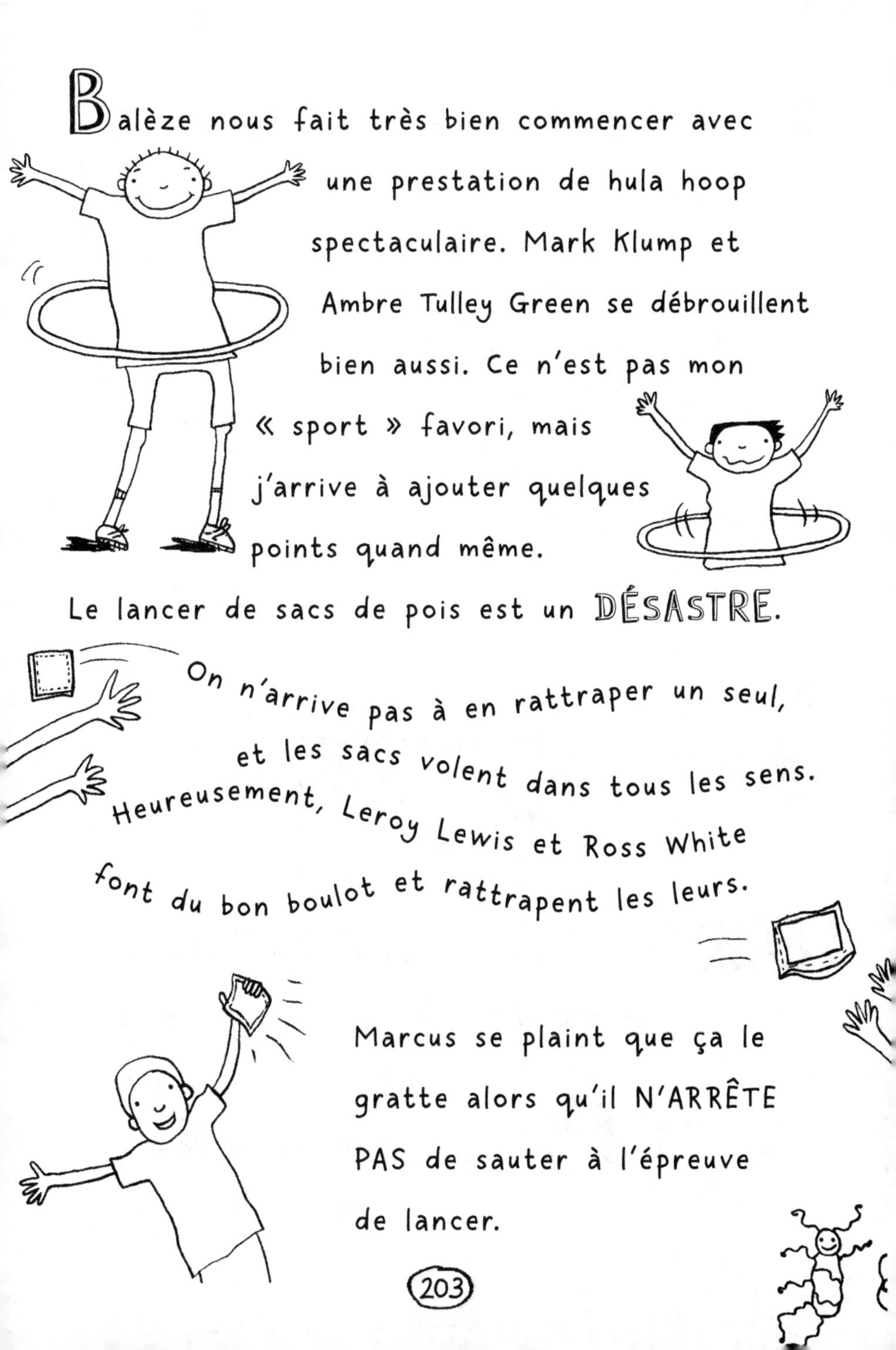

Et il me reproche de l'avoir **poussé**, ce que j'ai fait (accidentellement).

M. Fullerman sourit, ce qui est mieux que **l'année dernière.**

AMY et Indrani assurent à Julia qu'elle s'en sort très bien et lui disent de ne pas s'en faire pour le saut en longueur, qui se déroulera en dernier.

Ça ne nous aide pas que M. Pignon encourage sa classe en HURLANT...

Donnez-moi un G
Donnez-moi un A
Donnez-moi un G
Donnez-moi un N
Donnez-moi un A
Donnez-moi un N
Donnez-moi un T
Donnez-moi un S

Et qu'est-ce qu'on a ?

Il y a un petit silence, car personne dans sa classe n'arrive à trouver ce qu'il vient d'épeler. À la fin, c'est M. Fullerman qui lance à la classe de M. Pignon...

– Ça a beau faire GAGNANTS, je ne compterais pas trop dessus, si j'étais vous.

Les exercices SUPPLÉMENTAIRES de M. Fullerman pour LA JOURNÉE DU SPORT commencent à payer, et on se débrouille très bien à la course de relais avec passage de sacs de pois.

M. Fana passe entre les sections du terrain et nous adresse des encouragements du genre :

- **Superbe passe, Fleur !**

Ou :

– Quelle course rapide, Robert !

Sur le côté du terrain de sport, derrière une barrière, il y a plein de parents et d'amis qui crient des encouragements aussi.

Je ne vois personne de ma famille... pas encore. Mme Cherington sonne la cloche afin que tout le monde s'arrête pour prendre

Ce qui a toujours BEAUCOUP de succès. Pendant la pause, M. Fullerman nous dit qu'on fait pour l'instant un score MAGNIFIQUE et que nous n'arriverons certainement PAS derniers cette année.

(Je crois que ça lui fait encore plus plaisir qu'à nous.)

Norman s'est débrouillé pour manger BEAUCOUP trop de biscuits. Dès que le sucre commence à produire son effet, il se roule par terre en agitant les bras et les jambes et en criant :

– Mais oui, Norman, bien sûr.

(Oh, la, la.)

La dernière épreuve de notre classe est le saut en longueur. Je ne vois toujours PERSONNE de ma famille dans la foule. Jusqu'au moment où AMY me déclare :

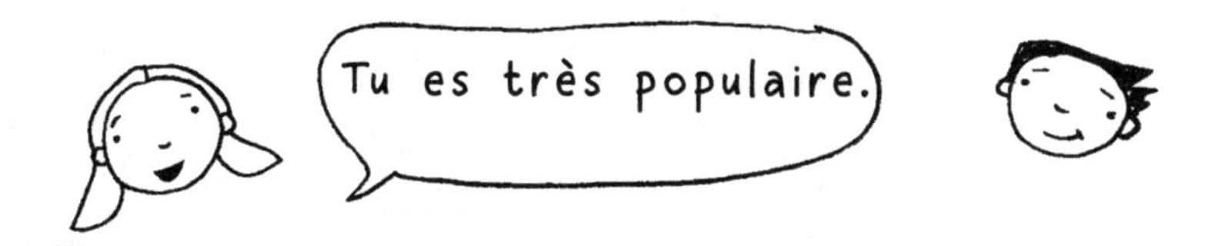

Je jette un coup d'œil dans la même direction qu'elle.

Et soudain, je les vois...

... et je les ENTENDS.

(La honte.)

Je réussis à convaincre LES FOSSILES de ranger les drapeaux « ON T'AIME, TOM ».

Heureusement, je ne suis pas le seul à me traîner une famille embarrassante. Les parents de Julia Morton portent des T-shirts...

avec sa tête dessus.

Ce qui ne l'a pas aidée du tout à avoir moins le TRAC.

Mme Cherington sonne la cloche et annonce :

C'est l'heure des dernières épreuves.

BONNE chance !

Pour notre classe, c'est donc le saut en LONGUEUR.

Mon tour arrive... Je cours aussi vite que je peux et...

... je me jette dans le bac à sable.

Ce n'est pas un mauvais s a u t.

Il est même assez bon pour que LES FOSSILES resortent leurs drapeaux « ON T'AIME, TOM ».

Presque toute la classe a déjà sauté, et il ne reste plus que DEUX élèves à passer. M. Fullerman (qui vient de jeter un petit coup d'œil sur les scores), nous annonce qu'

il n'y a plus que quelques points d'écart entre la classe de M. Pignon et nous.

C'est une bonne nouvelle.

Il faut que les deux derniers sauts soient le plus longs possible !

lui répondent Julia Morton et Marcus, mais je ne suis pas certain qu'ils se sentent aussi sûrs d'eux que ça.

Marcus passe en premier. Toute la classe se met à taper dans ses mains pour l'aider à sauter plus loin. Dès qu'il commence à courir, ils s'écrient tous :

– **Woooooooooouuuuuuuuuuuuuuuh !**

Jusqu'à ce qu'il retombe.

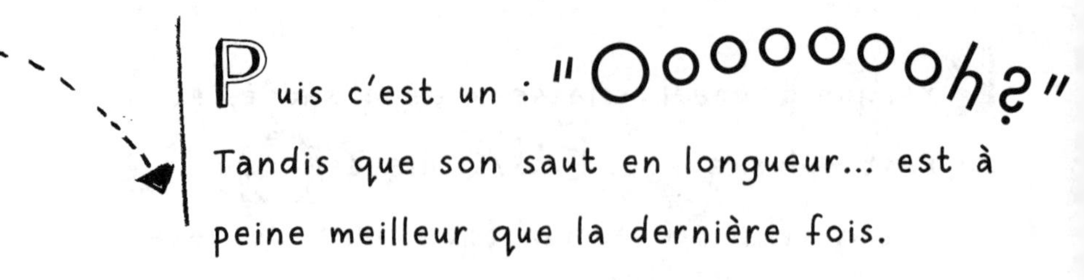

Puis c'est un : "Oooooooh?"
Tandis que son saut en longueur... est à peine meilleur que la dernière fois.

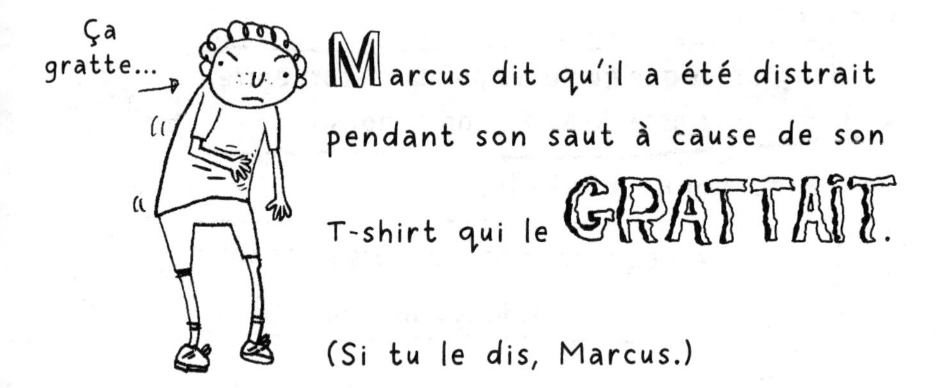

Marcus dit qu'il a été distrait pendant son saut à cause de son T-shirt qui le GRATTAIT.

(Si tu le dis, Marcus.)

Ensuite, c'est à Julia de sauter. Elle paraît très NERVEUSE.

Le saut de Julia est tellement INCROYABLE qu'on pousse tous des cris et qu'on applaudit. Mais on ne saura qui a remporté le trophée de LA JOURNÉE DU SPORT qu'après la course des parents.

(J'avais complètement oublié.)

Exactement comme l'année dernière, certains pères prennent la course BIEN plus au sérieux que d'autres. Mon père essaye de faire comme s'il ne faisait cette course

rien que pour S'AMUSER.

Mais, à sa mine déterminée et aux chouettes chaussures de course qu'il a aux pieds, on voit bien qu'il veut GAGNER.

Mme Cherington lance le départ, cette fois avec un sifflet.

En soufflant comme un BŒUF papa arrive à se classer

TROISIÈME !

Devant le père de Derek (M. Fingle), ce qui lui fait très plaisir.

— Ouf, je glisse à Derek. C'est fini pour un an !

Et Derek réplique :

– Je n'arrive pas à croire que mon père ait pu mettre ce bandeau.

(J'imagine que Coq pourra trouver un nouveau jouet dans pas longtemps.)

Maman s'excuse de ne pas pouvoir participer à la « course des mères » parce qu'elle a « oublié » de mettre les bonnes chaussures (comme par hasard).

Oups !

Voilà que LES FOSSILES veulent savoir pourquoi il n'y a pas de course des grands-parents (franchement, je suis très content que ça n'existe pas).

M. Fana s'approche et déclare qu'ils ont additionné TOUS les points et sont prêts à annoncer que :

– Les gagnants du trophée de

LA JOURNÉE DU SPORT

sont...

LES ÉLÈVES DE CM2 N !

C'est la classe de Mme Somme... et on est

SECONDS, devant la classe de M. Pignon. Mais à voir M. Fullerman sauter partout en poussant des

CRIS,

on pourrait croire que c'est nous qui avons gagné.

Je ne l'ai jamais vu aussi content.

Le PLUS super, avec cette deuxième place à LA JOURNÉE DU SPORT, c'est que M. Fullerman reste d'une humeur ☺ EXCELLENTE pendant toute la semaine.

Il a affiché tout un panneau SPÉCIAL JOURNÉE DU SPORT juste…

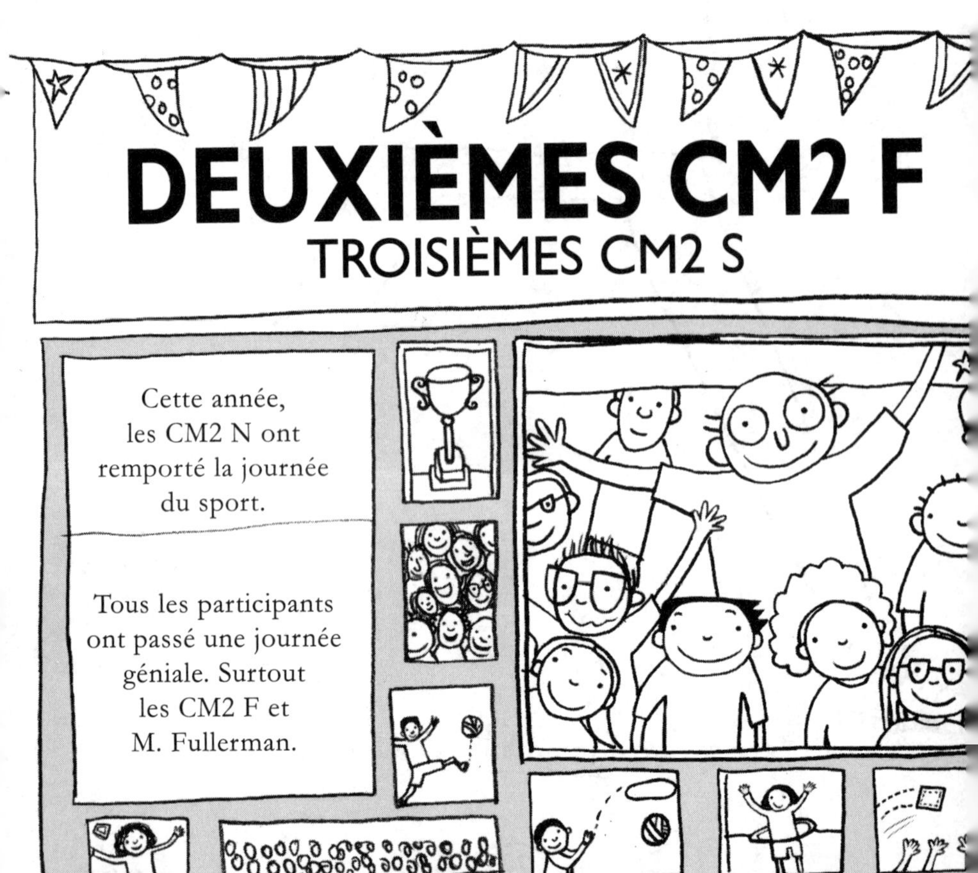

... à côté de la classe de M. Pignon.

Le matin de l'audition des **jeunes talents** de l'école.

Après LA JOURNÉE DU SPORT, j'ai un peu mal partout (à force de sauter dans des bacs à sable et de rattraper des sacs de pois).

En allant à l'école, Derek et moi, on discute de l'audition et du morceau qu'on doit jouer. Derek assure qu' il faut prendre Smoke on the Water*.

je demande.

– Parce que les vieux adorent cette chanson, que Mme Somme et M. Pignon sont assez vieux et que, donc, ils doivent l'aimer aussi.

* Chanson du groupe britannique Deep Purple.

Très juste.

J'ai apporté ma guitare neuve à l'école et j'ai un peu peur qu'il ne lui arrive quelque chose. Je suis encore plus inquiet quand on tombe sur...

Joël.

On ne l'a pas beaucoup vu depuis l'incident du ballon de foot. Mais comme je suis un tuteur **SYMPA**, je lance Salut, Joël et lui annonce qu'on va passer l'audition pour le spectacle des jeunes talents de l'école.

Je te verrai là-bas, répond-il.

Vraiment ?

Je pense aussitôt que je devrai faire DOUBLEMENT attention à ma guitare. Je ne voudrais pas qu'il lui arrive quoi que ce soit, avec Joël dans les parages.

Dans la classe, je demande à M. Fullerman s'il peut garder son œil de lynx sur ma guitare jusqu'à l'heure de l'audition. Enfin, je ne lui demande pas comme ÇA, **évidemment.**

S'il vous plaît, monsieur, pourriez-vous mettre ma guitare en sûreté ?

AMY, Indrani et Florence vont toutes chanter à l'audition. J'interroge Marcus sur ce qu'il compte faire, et il répond :

– Un numéro de magie que j'ai BEAUCOUP répété. Il est donc très au point.

J'insiste :

Mais il dit que non, parce qu'il a besoin de sa boîte de magie.

Ça a l'air intéressant.

Je lui raconte que mon grand-père m'a appris un super

et que je suis prêt à le lui montrer, s'il veut...

– Vas-y, fait Marcus. Impressionne-moi.

Le tour de Papy donne ça...

1. Prendre un mouchoir en papier et **le mettre en boule** dans sa main en disant :

2. Ensuite, se lever en tenant le mouchoir dans sa main. Agiter la main de haut en bas en comptant jusqu'à quatre, comme ça :

3. Puis, à la quatrième ou à la cinquième fois, se **DÉBARRASSER** du mouchoir en le lançant par-dessus la tête du spectateur sans qu'il s'en aperçoive.

Ouvrir ensuite la main très lentement pour montrer que le mouchoir a **DISPARU**.

Ça nécessite un peu de pratique.

Mais ça marche super bien avec Marcus.

Joël vient nous chercher dans la classe pour l'audition, car il aide M. Pignon.

Je tiens ma guitare bien serrée et lance :

– Re-salut, Joël.

Il m'adresse un signe de tête.

Pendant qu'on remonte le couloir, Norman annonce :

– C'est sûr que RODEO 3 va venir jouer à l'école parce que tout le monde en parle.

– J'espère que c'est **VRAI**, Norman, je réponds avec un soupir. Ça serait TELLEMENT génial.

(Il y a tout le temps des rumeurs sur des trucs faux, à l'école.)

Derek nous attend déjà avec Marcus (qui passe juste après nous).

Marcus a mis... une CAPE.

Il la fait tournoyer et tente de prendre des airs mélodramatiques.

Flouf

M. Pignon appelle :
Au tour des CLEBSZOMBIES, s'il vous plaît.
Mais, avant qu'on puisse commencer,
M. Pignon nous demande un coup de main pour
apporter des chaises et vérifier d'abord que la batterie est à la bonne hauteur, je vous prie.
On n'a pas le choix.
Laisse ta guitare là une seconde, Tom.

Je ne vais quand même PAS FAIRE ÇA ! Joël me propose de la garder, et je dois me retenir pour ne pas dire : PAS QUESTION !

Mais MARCUS intervient :

Je vais la surveiller.

C'est à peine mieux que Joël. Mais je n'ai pas vraiment le choix. Alors, pendant qu'on va chercher des chaises et quelques pupitres de musique avec M. Pignon, Marcus reste avec ma guitare. Comme ça...

Je le vois TRIPOTER mes cordes !

Je hurle :

– Ne touche pas aux cordes !

Mais il m'ignore. Et voilà qu'il TRIFOUILLE la tête de ma guitare et qu'il prend des poses de ROCK STAR en faisant semblant de jouer.

Je me précipite pour lui arracher mon instrument.

– On dit « s'il te plaît », proteste Marcus.

Ma guitare à la main, je rejoins l'audition.

Mais quand je commence à jouer **SMOKE ON THE WATER**, ça ne sonne pas du tout comme **SMOKE ON THE WATER**. Ça sonne **AFFREUSEMENT MAL.**

Marcus a TROP tiré sur les cordes, et la guitare est COMPLÈTEMENT désaccordée. Je dois continuer à jouer quand même.

Mais c'est une prestation pourrie. Ça se voit à la tête que font M. Pignon et Mme Somme. On dirait qu'ils souffrent.

Quand on a terminé, M. Pignon nous déclare :

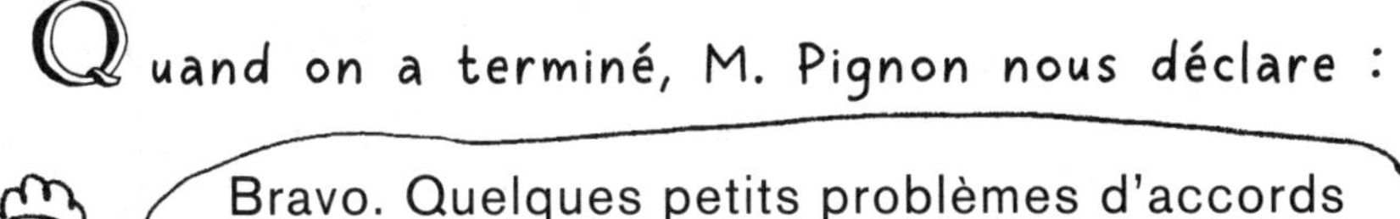

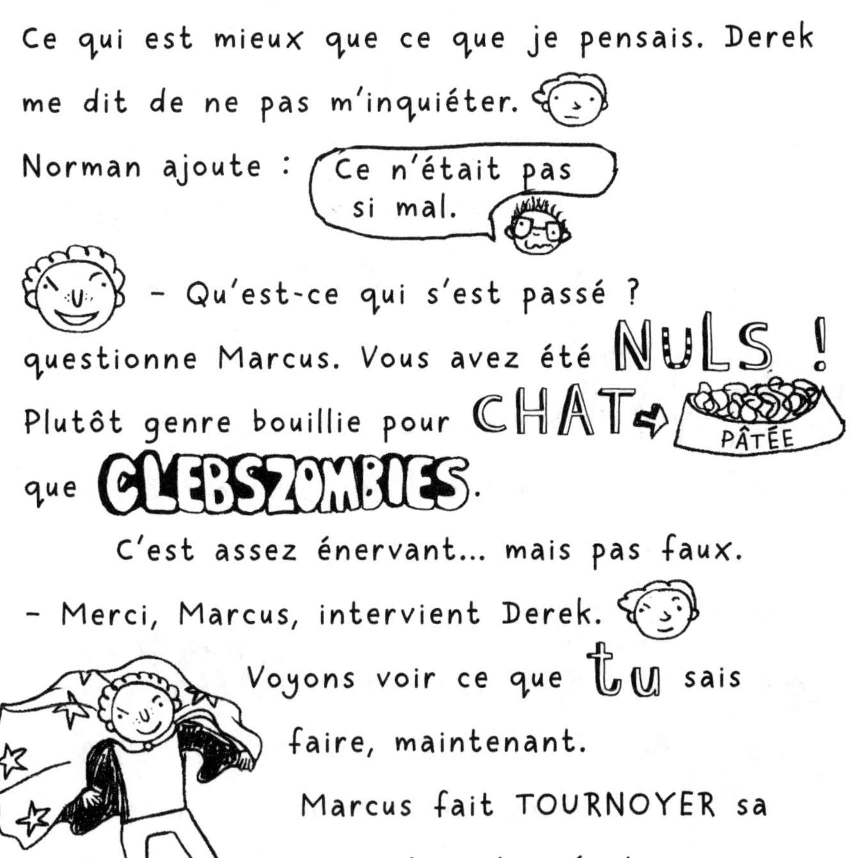

Ce qui est mieux que ce que je pensais. Derek me dit de ne pas m'inquiéter.

Norman ajoute : Ce n'était pas si mal.

– Qu'est-ce qui s'est passé ? questionne Marcus. Vous avez été NULS ! Plutôt genre bouillie pour CHAT que CLEBSZOMBIES.

C'est assez énervant… mais pas faux.

– Merci, Marcus, intervient Derek. Voyons voir ce que tu sais faire, maintenant.

Marcus fait TOURNOYER sa cape et part exécuter son numéro.

Il se présente comme étant « MARCUS LE MAGE »

ce qui fait plutôt penser à Marcus Fromage et nous fait bien RIGOLER. Ha! Ha! Ha!

Marcus fait des tours de cartes et aussi des tas d'autres numéros, et il se débrouille très bien, ce qui est à la fois étonnant et un peu énervant.

Puis Joël amène AMY, Florence et Indrani parce que c'est à leur tour de chanter.

– Comment ça s'est passé ? me demande Amy.

Je m'apprêtais à LUI répondre « Pas mal... » ou bien « Ça allait, mais on aurait pu mieux faire », quand Joël s'en est mêlé :

Ils ont été épouvantables ils jouaient complètement faux.

Merci, Joël ! Il se tait d'habitude. C'est bien la peine d'être son tuteur. C'est pas de ma faute si la guitare était désaccordée.

Je préviens Derek et Norman que
- Marcus va sûrement répéter à
TOUT LE MONDE que les CLEBSZOMBIES
ont été ARCHINULS.
Tu crois ?
fait Derek.
Oui, c'est EXACTEMENT ce que fait Marcus.
Qu'est-ce qu'ils ont été mauvais !
La honte !
Les CLEBSZOMBIES ont été NULS.
Oh, la, la !
Ça faisait mal de les écouter.

Toute l'école ne parle MAINTENANT que de la venue de RODEO 3 au spectacle des jeunes talents. ET de l'audition RATÉE des CLEBSZOMBIES comme étant la PIRE audition de TOUTE L'HISTOIRE de l'école.

(Ça, ce n'est carrément pas vrai... mais c'est L'IMPRESSION que ça donne, à entendre tout le monde.)

Il ne faut **pas** attendre très longtemps avant que la liste des élèves retenus à L'AUDITION soit punaisée sur le panneau d'affichage. En fait... les CLEBSZOMBIES sont pris.

RÉSULTATS DE L'AUDITION POUR LE SPECTACLE DES JEUNES TALENTS DE L'ÉCOLE DES CHÊNES

Si votre nom figure ci-dessous, vous participez au SPECTACLE ! Nous aurons une répétition générale avant le spectacle. BRAVO À TOUS !

Brad Galloway
Julia Morton
Minnie Verner
Justine Rolling
Tom Gates
Norman Watson
Derek Fingle
Marcus Meldrou
Amy Porter
Indrani Hindle
Florence Mitchell
Paul Rogers
Jenny Chan
Christina Brown
Roger Wood
Emily Border
Chris Dury
Paul Jolly

ET DES GUEST STARS SURPRISES !

JE REGARDE la liste et constate que **tous ceux** qui ont passé l'audition ont été pris.

Tout en bas de la page, la mention « ET DES GUEST STARS SURPRISES » est très intéressante, non ?

Les RUMEURS pourraient donc de temps en temps se vérifier ?

Sortie familiale au CINÉMA

En rentrant de l'école, on TOMBE sur Joël, qui arrive dans l'autre sens. (Quand je dis qu'on lui tombe dessus… je veux plutôt dire qu'IL NOUS TOMBE dessus.) Je lui demande si ÇA VA. Il hoche la tête, puis ajoute :

J'avais complètement oublié.

Je me tourne vers Derek, qui semble un peu inquiet.

J'explique à Joël qu'on a prévu de TOURNER un CLIP très bientôt.

Ce n'est peut-être pas le bon moment pour venir nous regarder. Désolé.

propose Joël.

Derek hausse les épaules, genre : ÇA NE ME DÉRANGE PAS. Alors je réponds :

– D'accord, Joël. Ça se passera chez Derek. Je te dirai quand.

– Ouais ! s'écrie Joël. Merci.

Puis il part en courant et rentre dans quelqu'un d'autre, qui surgit au coin de la rue.

Quand j'arrive à la maison, Maman me rappelle qu'on est censés passer

– Oui, on va au cinéma. Il faut que ce soit un endroit sombre, sinon Délia ne voudra pas venir tant que ses cheveux sont encore un peu VERTS.

– Qu'est-ce qu'on va voir ?

Maman m'assure que c'est un **super** film et qu'il y a plein de bonnes critiques.

– Ça s'appelle "La Loutre."

— De quoi ça parle ? je demande.

Parce que je n'ai jamais entendu parler de ce film.

C'est alors que Délia s'en mêle :

— Ça parle d'une LOUTRE, débile.

— Pas forcément, je réplique. Ça pourrait être un film d'ESPIONS et LA LOUTRE serait le nom de code d'un agent secret.

— OU, riposte Délia, ça pourrait parler d'une LOUTRE, et c'est pour ça qu'il y a une ÉNORME image de LOUTRE sur l'affiche du film.

la Loutre

— Allons, Délia, ça suffit, intervient maman.

Je suggère alors que si Délia ne veut pas qu'on voie ses cheveux **VERTS** elle pourra toujours demander à Mamie Mavis de lui tricoter un bonnet.

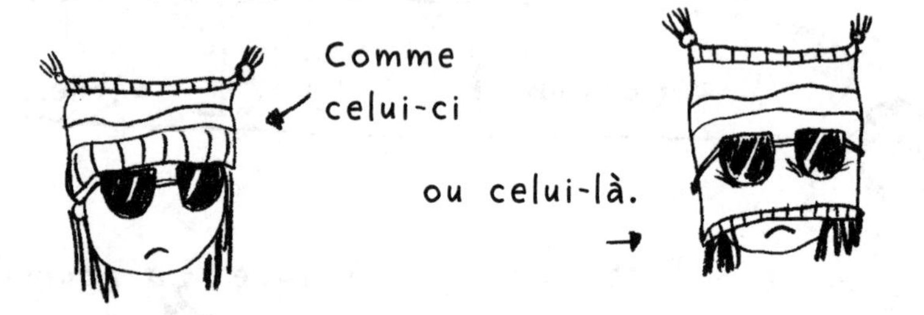

Papa arrive alors et demande :

Ça paraît le bon moment pour disparaître dans ma chambre et attendre qu'on soit tous prêts à partir.

Ça prend des HEURES.

On est tellement en retard qu'on rate presque le début du film. Pendant qu'on achète les billets, maman commence à STRESSER parce qu'elle aime bien s'asseoir → **TOUT DEVANT** et qu'elle craint que les premières rangées ne soient COMPLÈTES. Le problème, c'est qu'elle DÉTESTE que les gens fassent plein de BRUIT en mangeant. Elle trouve qu'il devrait y avoir des RÈGLES sur ce qu'on a le droit de manger au cinéma.

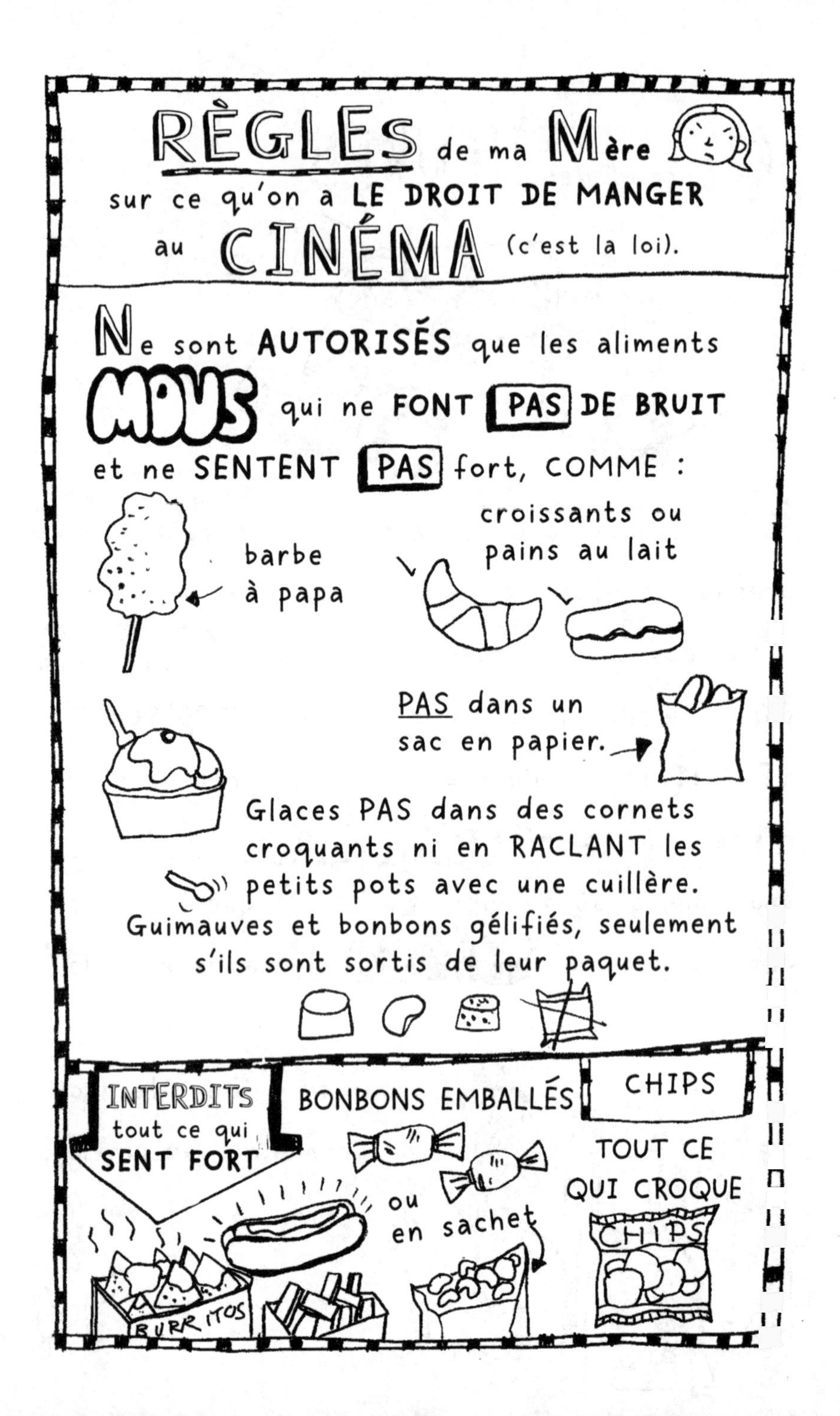

RÈGLES de ma Mère
sur ce qu'on a LE DROIT DE MANGER
au CINÉMA (c'est la loi).
Ne sont AUTORISÉS que les aliments
MOUS qui ne FONT PAS DE BRUIT
et ne SENTENT PAS fort, COMME :
barbe à papa
croissants ou pains au lait
PAS dans un sac en papier.
Glaces PAS dans des cornets croquants ni en RACLANT les petits pots avec une cuillère.
Guimauves et bonbons gélifiés, seulement s'ils sont sortis de leur paquet.
INTERDITS
tout ce qui SENT FORT
BURRITOS
BONBONS EMBALLÉS
ou en sachet
CHIPS
TOUT CE QUI CROQUE
CHIPS

J'ai apporté quelques caramels mous aux fruits, que j'ai déballés AVANT le début du film. Sinon, maman ne va pas cesser de me lancer des COUPS D'ŒIL et de me donner des coups de coude pour que j'arrête.

On arrive tous à trouver des places devant, avant que le film commence. Délia a mis sa capuche et elle a l'air encore plus ronchon

que d'habitude. Je dis à papa que je ne veux pas m'asseoir à côté d'elle, au cas où elle retirerait ses lunettes. Alors papa s'assoit entre nous.

On est tous installés, et les lumières s'éteignent.

Maman est contente de sa place. Personne ne mange trop **BRUYAMMENT** à côté de nous. Tout est super. Quand soudain...

Je ne vois plus rien !

C'est vraiment génial. J'essaye de bouger d'un côté, puis de l'autre, mais je ne vois toujours pas l'écran.

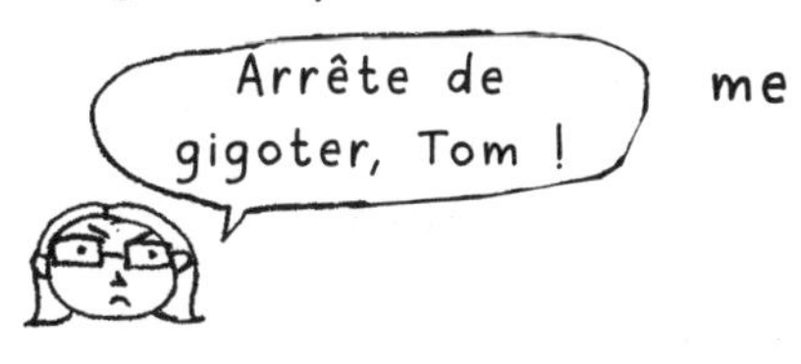

me dit maman.

– Je ne vois rien, j'explique.

Alors maman échange sa place avec la mienne et, pendant une minute, je vois l'image en entier.

Puis l'homme le plus GRAND du monde avec la plus GROSSE tête de tous les temps fait ceci... Et je devine alors qui est assis devant moi.

C'est Balèze, avec SON PÈRE.

Je lui tape sur le dos et lui fais :

– Salut !

Et ma mère nous dit :

– Chuuuuut.

Je vais m'asseoir à côté de lui parce que je ne peux rien voir en restant derrière lui ou son père.

Le film est VRAIMENT drôle. Même Délia rigole (mais pas question que je la revoie sans ses lunettes).

Maman n'arrête pas de me taper sur la tête chaque fois que Balèze et moi échangeons une phrase. Même une petite.

– Toute ta famille est là ? questionne Balèze.

Je chuchote :

– Oui, on passe une bonne soirée en famille à regarder un film. Alors on n'a pas le droit de se parler.

Et Maman me Tape de nouveau sur la tête en me faisant...

Une fois le film terminé, papa doit aller aux toilettes et nous prie d'aller l'attendre dehors. On se lève tous pour sortir, et je me mets à **parler** avec Balèze du film, de LA JOURNÉE DU SPORT et de l'audition de l'école, ce genre de **TRUCS**.

Ce n'est que quand il me dit SALUT et s'en va avec son père que je m'aperçois à quel point ils se ressemblent.

Maman se demande pourquoi Papa met aussi longtemps, et elle retourne le chercher en me laissant dehors avec Délia (qui est de plus en plus ronchon).

Et puis, Délia voit soudain Ed,

son ancien petit ami, sortir du cinéma avec des potes à lui. Elle m'ordonne :

– Ne bouge pas, **SINON**...

Et elle plonge derrière moi.

Je décide de m'amuser un peu et me mets à bouger d'un côté puis de l'autre pour obliger Délia à m'imiter. Je l'entends chuchoter derrière moi :

– T'as pas INTÉRÊT !

alors qu'Ed lève les yeux et me repère. Je le salue d'un geste de la main et lui lance :

– Salut, Ed, le monde est petit.

– Salut, Tom, réplique Ed en s'approchant.

– Bon film, hein ?

– Super... approuve-t-il. Est-ce que tu as toujours ton groupe ?

– Oui, merci, je réponds.

Délia est toujours pliée derrière moi, ses cheveux VERTS recouverts par sa capuche, et elle essaye de s'esquiver sans qu'Ed la remarque. Ça aurait pu marcher si je ne m'étais pas écarté juste au moment où

une **GROSSE rafale**

de vent *REPOUSSE* la capuche en question.

Délia a carrément ses cheveux VERTS dressés sur sa tête.

Tout le monde la regarde – y compris Ed. Les Parents arrivent juste à temps pour empêcher Délia de se **VENGER** sur moi.

– Tu me le paieras, me menace-t-elle.

Ça n'annonce rien de bon.

Je suggère à ma sœur de se détendre et de **S'AMUSER**.

– Comme moi !

Maman dit qu'elle trouve ça sympa qu'on s'amuse tous les deux. (Moi, oui... mais Délia fulmine encore et a toujours les cheveux aussi **VERTS**.)

Devoir qui manque.

Avec tout ce qui s'est passé à l'école, c'était facile d'oublier mon...

Comme M. Fullerman est encore de super bonne humeur après LA JOURNÉE DU SPORT, il me signale que je peux l'apporter demain. C'est une très bonne nouvelle.

J'ai passé PLEIN de temps chez moi (et en classe), à réfléchir et à CHERCHER DES IDÉES pour notre clip des CLEBSZOMBIES.

Il y a TELLEMENT de choses possibles.

Comme :

* Fabriquer des masques de

* Faire des affiches de démons à mettre dans la cour.

* Filmer dans le jardin, ce qui peut être assez inquiétant à certains endroits.

J'ai des TONNES D'IDÉES qui me trottent dans la tête. Et écrire TOUTE une page de grande copie sur la JOURNÉE DU SPORT n'en fait tout simplement pas partie.

« Demain » est venu un peu **trop** vite.

Je n'ai réussi à écrire qu'un bout de mon devoir en allant à l'école ce matin.

Je dois le finir sous la table... sur mes genoux... pour que M. Fullerman ne voie pas ce que je fais.

Vu les circonstances, je crois que je ne m'en suis pas mal sorti. Non ?

Ma journée du sport
par TOM GATES

CETTE ANNÉE, LA JOURNÉE DU SPORT M'A VRAIMENT PLU PARCE QUE NOUS AVONS FAILLI GAGNER ! OUAIS ! ET M. FULLERMAN ÉTAIT DE TRÈS BONNE HUMEUR. ON A MANGÉ DES BISCUITS À L'ORANGE DÉLICIEUX. C'ÉTAIT UN VRAI RÉGAL.

OUAIS !

Tom ....

O n   d i r a i t   q u e   t u
e s p a c e s   u n   p e u
t r o p   t e s   l e t t r e s   ?

Ça ne me fera pas croire que ton
texte fait toute une page de copie
grand format !

Ne recommence pas.

M. Fullerman

Ouf, ça aurait pu être pire.
Pas de retenue ni d'allusion à un DEVOIR
SUPPLÉMENTAIRE.

Après une semaine d'école ÉPUISANTE, Norman, Derek et moi devons nous concentrer sur des décisions importantes concernant le clip des CLEBSZOMBIES, qu'on doit filmer aujourd'hui.

1. Chapeaux ou pas chapeaux ?

2. Lunettes noires ou pas lunettes noires ?

3. Dehors ou dedans ?

4. Masques ou... pas masques ?

5. Gaufrettes tout de suite ou plus tard ?

Cool!

Pour l'instant, la seule décision que nous ayons prise a été de remettre les gaufrettes à plus tard, principalement pour que Norman ne soit pas trop excité par le sucre.

– D'après vous, qu'est-ce que ferait RODEO 3 s'ils devaient tourner ce clip ? Derek répond qu'il ne les voit pas en train de porter un masque.

Il marque un point. On en reste aux T-shirts CLEBSZOMBIES et on filme dans le garage de Derek, car on dirait qu'il va pleuvoir. M. Fingle a proposé de nous donner un coup de main, et il installe la caméra sur un trépied. C'est super. Mais ça signifie qu'on ne pourra pas bouger beaucoup si on veut être dans le champ.

Le père de Derek se remet à nous parler des meilleurs clips de tous les temps. Derek doit lui rappeler qu'on fait juste ça pour s'amuser. On est sauvés par la sonnerie du téléphone de M. Fingle. Ça l'occupe un moment. Derek dit :

– Et si on appuyait juste sur la touche play de la caméra et qu'on commençait à jouer ?

C'est un bon plan. Mais on n'arrive pas à décider qui va l'exécuter parce que ce n'est pas évident d'appuyer sur la touche play et de courir reprendre sa place. On est sur le point de filmer quand c'est Mme Fingle qui arrive.

– Vous avez un visiteur qui vient voir les CLEBSZOMBIES, annonce-t-elle. Ah oui ?

C'est Joël.

Que j'ai invité à venir assister à une répétition... et que j'ai complètement oublié.

Joël dit que sa mère passera le prendre dans deux heures.

Derek s'exclame :

– DEUX HEURES !

comme si c'était vraiment interminable. Puis Joël nous montre une toute petite caméra vraiment chouette, que sa mère lui a prêtée.

– Je pourrais vous filmer aussi, si vous voulez ?

C'est une **excellente** idée.

(Joël va se révéler utile, en fin de compte.)

Même s'il *renverse* le trépied deux fois.

M. Fingle revient et commence à faire des suggestions de mise en scène.

Certaines sont meilleures que d'autres...

Mais ça fait *filer* les DEUX heures à toute vitesse.

La mère de Joël arrive au moment où on commence à être vraiment dedans.

La mère de Joël :

– Ça paraît pas mal du tout ! Je pourrai vous aider à monter votre clip, si vous voulez.

– C'est **CHOU**, fait Norman.

(Il veut dire que c'est chouette.)

– Ça me rappelle, intervient Joël, que je vous avais apporté ça.

M. Fingle vérifie que sa caméra marche encore (elle marche). Je trouve que Joël se révèle un excellent protégé, en fin de compte.

Jeunes TALENTS
répétition
M. Fullerman
nous rappelle qu'il y a
– UN FILAGE AUJOURD'HUI, pour le spectacle des jeunes talents, qui aura lieu... CE SOIR.
Je chuchote à AMY :
Ce soir ! Il en est sûr ?
– Oui, Tom, ce soir, assure M. Fullerman.
LE SPECTACLE DES
JEUNES TALENTS
a lieu
CE JEUDI,
on compte sur vous
PANNEAU D'AFFICHAGE
JEUNES TALENTS
CE SOIR
SPECTACLE DES JEUNES TALENTS
Guest Stars
Comment ai-je pu oublier la date du spectacle ?

La BONNE **nouvelle**, c'est que **CLEBSZOMBIES** passera à 11 h 15. On dirait bien que je vais manquer... les **MATHS**. **Bien joué !** (Tourner la vidéo de **CLEBSZOMBIES** nous a préparés un peu plus, ce qui n'était pas du luxe.)

Marcus répète avant nous, à 11 heures. Il est assis à côté de moi et râle (comme d'habitude). Il pense qu'il devrait passer en **dernier**. Je m'étonne :

– Et qu'est-ce qui te fait dire ça, **Marcus** ?

– C'est parce que mon numéro est le **meilleur**, répond-il.

– Peut-être pas ? je réplique.

– Personne ne réussit aussi bien les tours de **magie** que moi, assure-t-il.

– Et les fameuses GUEST STARS ? je demande.

Il PARAÎT que RODEO 3 va venir jouer à l'école. Ils sont meilleurs que toi.

– Ne sois pas RIDICULE, dit-il. RODEO 3 ne viendra pas dans notre école. Ça ne risque pas d'arriver.

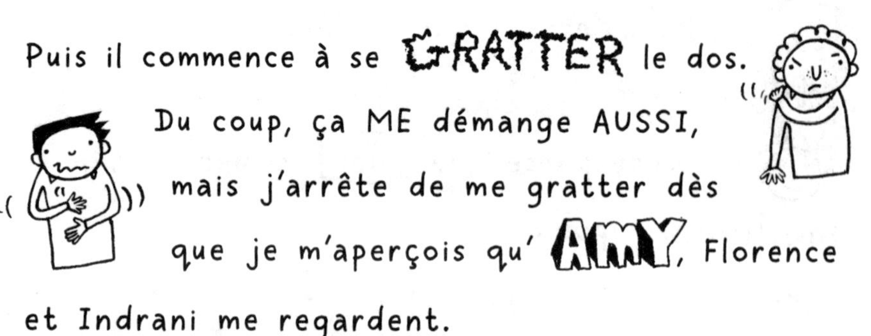

Puis il commence à se GRATTER le dos. Du coup, ça ME démange AUSSI, mais j'arrête de me gratter dès que je m'aperçois qu'AMY, Florence et Indrani me regardent.

Elles se préparent à chanter juste après CLEBSZOMBIES et seront suivies par Mark Clump, qui a, semble-t-il, apporté un animal à qui il a appris à faire des tours.
(C'est peut-être son serpent ?
Ça serait impressionnant.)
Brad fait de la danse hip-hop (mais pas derrière le dos de M. Fullerman cette fois-ci).
Je *voudrais* vraiment savoir qui sont ces GUEST STARS !

Si ce n'est PAS RODEO 3... qui ça peut être ? M. Pignon et Mme Somme ne prononcent pas un mot pendant le filage.

Tout ce qu'ils me disent, c'est...

– Tu devras attendre comme tout le monde pour le savoir, Tom.

C'est très énervant. J'aurais tellement voulu rentrer et pouvoir dire à Délia que

Elle ne sort pas beaucoup à cause de ses cheveux (légèrement) VERTS.

Mais ça lui ferait quand même les pieds de rater ça. Et je me ferai un plaisir de lui rappeler TOUT ce qu'elle aura manqué.

Ha !

Bon... ça ne peut pas être RODEO 3, si ?

Norman a DÛ mal entendre.

Au déjeuner, Joël vient me dire qu'il a un film monté de nous en train de jouer

– Je vais demander à ma mère de te l'envoyer. C'est vraiment bien. ☺

(Je suis un GÉNIE d'avoir choisi Joël comme protégé – bon, d'accord, c'est lui qui m'a choisi comme tuteur, mais ça fonctionne très bien quand même.)

Grâce au spectacle de l'école, on a **tous** le droit de rentrer chez nous une heure plus tôt pour se préparer.

Ce qui ne nous prend pas beaucoup de temps, à Derek et à moi.

Derek est chez moi, et on regarde des numéros de **ROCK HEBDO**. Je lui suggère que, si on veut ressembler davantage à un groupe de **ROCK**, on devrait porter des lunettes fumées.

Ou HÉRISSER nos cheveux sur notre tête… comme ça ? ROCK HEBDO

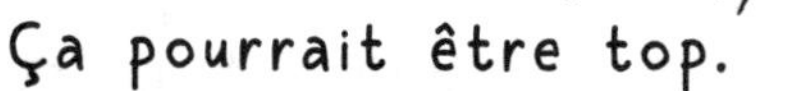
– Tu crois ? dit-il. Ça pourrait être top.

Je vais dans la salle de bains et prends un gel pour cheveux qui est là depuis un moment. Je crois que c'est oncle Kevin qui l'a offert à papa… pour se moquer de lui. Et j'ai aussi toute une collection de lunettes noires de Délia qu'on peut lui « emprunter » pour ce soir et qui nous vont particulièrement bien, à Derek et à moi.

Derek reste dîner vite fait chez moi, et, pendant qu'on mange, papa arrive, un sac en plastique à la main.

– Je me suis acheté un nouveau short pour courir, annonce-t-il, visiblement très satisfait.

Je glisse à Derek :

– Espérons que Coq aura encore faim.

Ça le fait rire.

Bla-bla...

(PLUS SPÉCIAL GUESTS!)

Tous les élèves qui se produiront ce soir se préparent dans les classes près du hall. Tout le monde discute avec **excitation** en attendant le spectacle. Norman, Derek et moi, on a tous mis nos T-shirts **CLEBSZOMBIES**.

Je montre le gel à Norman et lui déclare :

– Je crois que je vais hérisser mes cheveux pour que ça fasse plus cool et que je ressemble davantage à une

AMY, qui est avec Florence, m'entend et s'exclame :

– **T**u devrais le faire, **T**om ! Ça te donnerait l'air super cool.

Norman, lui, répond :

parce qu'il est déjà un peu agité (comme d'hab).

Je prends donc une BONNE DOSE de gel, que je mets dans mes cheveux, où ça reste en

gros tas

— Je crois que tu devrais frotter un peu, me conseille Derek.

C'est ce que je fais.

— Alors ?

AMY et Florence examinent mon crâne.

— Tu devrais peut-être les redresser avec une brosse ? propose Florence.

Mais je n'en ai pas. AMY dit que je peux prendre la sienne, ce qui est vraiment gentil. Maintenant que j'ai une tonne de gel dans les cheveux, je ne dois pas avoir l'air très malin.

Derek me suggère de

trouver une glace pour voir ce que tu fais.

(Très juste.) Je vais dans les toilettes et essaye de REDRESSER mes cheveux avec la drôle de petite brosse ronde d'AMY.

Je ne me suis jamais servi d'un truc pareil.

J'enroule les mèches de devant autour de la brosse et je tire vers le haut pour les

HÉRISSER.

Mais ça COINCE. Alors, je tourne encore un peu la brosse, mais ça ne marche pas du tout. Ça se présente très MAL. J'essaye de ne pas PANIQUER. Mais plus je tire sur la brosse, plus ça semble emmêlé.

C'est une vraie CATASTROPHE !

Ça prend tellement de temps que Derek vient me chercher.

– Il faut qu'on se prépare, Tom, prévient-il.

Je lui explique :

– On a un petit problème.

– Je sais, dit Derek. M. Pignon veut qu'on passe plus tôt à cause de Marcus.

Je ne crois pas que Derek se soit rendu compte que la brosse que je tiens toujours à la main est COINCÉE dans mes cheveux. Je continue d'essayer de l'enlever tout en lui demandant :

– Quel est le problème avec Marcus ?

– M. Pignon veut qu'on passe en PREMIER parce que Marcus a...

Je propose :

– Le trac ? La trouille ?

Il est plus pénible que jamais ?

Derek dit :

– Non, pas du tout. Il a annulé parce qu'il a...

(Marcus en train de se gratter.)

Derek me précise que la mère de Marcus a appelé pour dire que ce n'était **pas** grave, mais qu'il prétend ne pas pouvoir faire son numéro parce que ça le **DÉMANGE** trop.

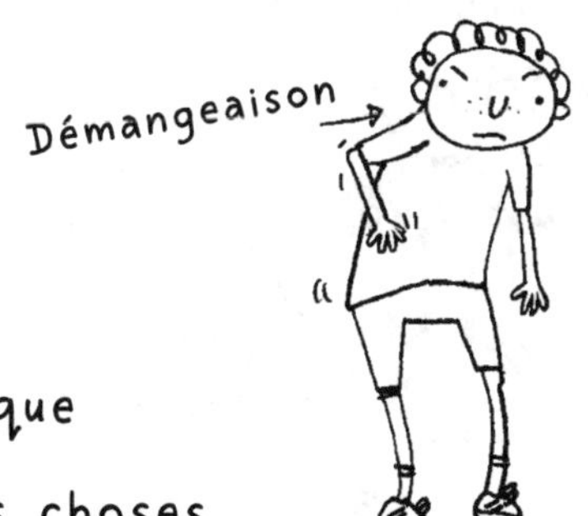

(Marcus à LA JOURNÉE DU SPORT)

Ça explique certaines choses.

Derek remarque enfin la brosse qui dépasse de ma tête.

– Qu'est-ce qu'ils ont, tes cheveux, Tom ?

– La brosse est coincée, je réponds.

Derek essaye de tirer dessus.

– **AÏÏÏÏÏÏE !** je crie.

Et il arrête.

– Comment tu t'es DÉBROUILLÉ ?

– J'ai tourné la brosse, et maintenant c'est coincé… le gel n'a pas arrangé les choses.

Il faut que je trouve de l'aide…

RAPIDO !

Mais personne ne sait quoi faire.

M. Pignon et Mme Somme eux-mêmes n'arrivent pas à retirer la brosse.

Mme Marmone arrive et déclare :

– Joël s'est fait la MÊME chose avec un peigne.

– Comment avez-vous fait pour sortir le peigne, madame Marmone ?

Elle imite le mouvement des ciseaux avec les doigts.

– Sa mère a dû retirer le peigne à coups de ciseaux. Je crains que ce ne soit le seul moyen.

Super. GRRRRRR.

M. Pignon dit qu'on pourra passer plus tard si j'ai besoin de temps pour enlever la brosse.

– Oui, je réplique, on a besoin de PLEIN de temps.

(Genre une SEMAINE.)

Il me conseille de faire venir mon père ou ma mère pour m'aider. Derek me propose d'aller chercher ma mère dans le public.

– Ils devraient être là, maintenant, non ?

J'accepte à contrecœur.

Maman jette un coup d'œil sur la brosse et s'écrie :

– Comment es-tu arrivé à faire un truc **pareil**, Tom ?

Je réponds :

– C'est un mystère. Je me suis juste brossé les cheveux.

(Je ne parle pas de la 1 TONNE de gel.)

AMY se sent un peu coupable, parce que c'est elle qui m'a conseillé de me servir de la brosse.

– Ce n'est pas grave si tu as besoin de la **CASSER**, assure-t-elle.

J'espère vraiment que ma mère ne va pas en arriver LÀ.

Mais la seule paire de ciseaux qu'on peut trouver pour me couper les cheveux, ce sont des ciseaux à papier, à bouts ronds, avec des lames émoussées.

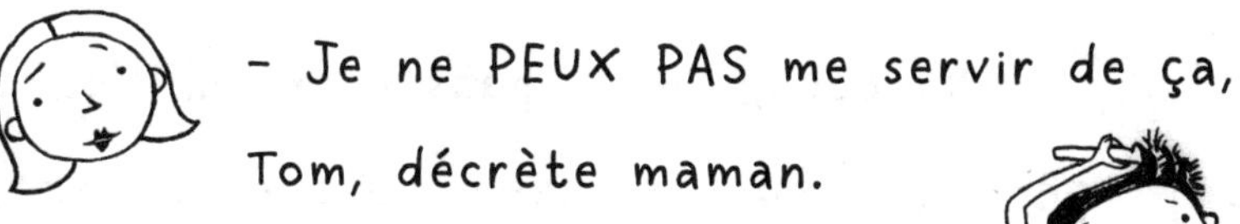

– Je ne PEUX PAS me servir de ça, Tom, décrète maman.

J'ai donc trois solutions :

- faire comme si la brosse n'était pas là (pas évident);
- porter un GRAND chapeau ;

- mettre un masque.

Je n'ai aucune envie de monter sur scène avec cette brosse qui GIGOTE sur ma tête.

Le spectacle des JEUNES TALENTS a déjà commencé et semble très BIEN se dérouler sans Marcus.

M. Fana a fait une annonce pour prévenir qu'il y aurait quelques changements dans l'ordre de passage des artistes.

Du coup, on va passer en DERNIER, et j'espère que mon problème de cheveux sera réglé.

MAIS ça ne se présente pas bien.

Norman et Derek secouent la tête en me regardant. Ça ne va pas le faire, hein, Tom ? dit Derek.

Il a raison.

Je n'ai pas envie d'interpréter "DÉMONS DE MINUIT" devant toute l'école avec une BROSSE plantée dans les cheveux.

J'explique à M. Pignon et à Mme Somme que je ne peux VRAIMENT pas jouer maintenant.

– Ce n'est pas grave, Tom. Nous allons demander à nos GUEST STARS de commencer plus tôt, dit Mme Somme.

En fait, tout ça pourrait se terminer SUPER BIEN parce que Mme Somme sait que je suis fan de RODEO 3. Alors je lui demande :

– Est-ce que c'est RODEO 3 qui va jouer ?

– Ce serait vendre la mèche !

Ça veut sans doute dire NON.

Maman retourne s'asseoir pour regarder la suite du spectacle (même si je ne suis plus dedans). Elle me promet de s'occuper de la brosse dès qu'on sera rentrés à la maison. (La honte.)

Au moins, je peux voir les numéros du spectacle que je n'avais pas vus avant.

Comme Mark Clump et sa perruche parlante.

Florence, AMY et Indrani qui chantent.

(Elles sont vraiment bonnes !)

L'EXCELLENT numéro de danse de Brad Galloway.

Des petits qui récitent chacun un vers d'une poésie (ce qui prend un peu de temps),

et encore d'autres chanteurs.

Des Comédiens.

Et un Ventriloque.

(Mon préféré jusque-là.)

Quand le dernier numéro est terminé, M. Fana monte sur scène, et toutes les lumières s'éteignent.

Il déclare que tous ces élèves SI talentueux de l'école des Chênes nous ont vraiment offert un spectacle merveilleux.

Clap clap

– Je suis certain que vous vous demandez tous qui sont nos GUEST STARS ce soir ?

clap clap

OUIIIIIIIIIIII !

– Eh bien, nous avons le GRAND privilège d'accueillir un groupe célèbre dans le MONDE ENTIER, qui va nous donner une représentation unique – pour la toute PREMIÈRE, et sans doute la DERNIÈRE fois.

Je me tourne vers Derek et Norman, pressés eux aussi de voir de qui il s'agit.

Norman me glisse : Je t'avais dit que RODEO 3 venait.

Mais je ne les vois toujours nulle part. M. Fana ajoute alors :

– Je demande à toute L'ÉCOLE DES CHÊNES de faire un TRIOMPHE aux seuls et uniques...

(Rrrrrrrouuuuulement de tambour...

re rrrrouuuuuuuulement de tambour...)

"VOUS3!"

Pendant une fraction de seconde, je crois que M. Fana a dit RODEO3 et je fais des bonds en poussant des cris, quand je vois...

... M. Fullerman, M. Pignon et Mme Cherington habillés en motards. Mme Cherington a mis une FAUSSE MOUSTACHE (enfin, j'espère qu'elle est fausse).

Norman, Derek et moi, on est figés par le

CHOC.

Comme ça...

Ils commencent à chanter...

Préparer les cours, page par page
Chasser de l'école le ratage
Forcer les mômes à être sages
Sortir les champions de leur cage
Les faire s'entraîner à la chaîne
Et leur en donner pour leur peine
Monter le niveau d'exigence
pour qu'ils puissent avoir toutes leurs chances

LA JOURNÉE DU SPORT
C'est quand même pas la mort
Mais voilà que les Chênes
Se déchaînent pour

EN METTRE PLEIN LES YEUX,
EN METTRE PLEIN LES YEUX
Et faire crier jeunes et vieux
EN METTRE PLEIN LES YEUX,
EN METTRE PLEIN LES YEUX
De tous les parents affectueux
EN METTRE PLEIN LES YEUX.

Ça me dit quelque chose... et puis ça me revient : la vraie chanson, c'est *Allumer le feu* ! Il y a des adultes qui RIGOLENT super fort !

M. Pignon et M. Fullerman prennent des poses de **ROCK** stars, mais MME CHERINGTON se DÉCHAÎNE carrément.

Je souffle à Derek que :

– C'est le truc le plus DINGUE que j'aie jamais vu !

Ce n'est peut-être pas RODEO 3, mais **Vous 3** est tellement hilarant que j'en oublie presque la brosse coincée dans mes cheveux.

Et puis TOUTE l'école les **applaudit** et les acclame dès qu'ils terminent leur chanson.

CLAP ! Bravo ! CLAP ! Bravo !

Les élèves de notre école se souviendront du numéro des profs

TOUTE LEUR VIE !

Maintenant que le spectacle est terminé, je dis bonsoir à tout le monde et vais retrouver mes parents, qui trouvent tous les deux que le groupe des profs était « EXCELLENT » !

– Ça me donne envie d'être dans un groupe, lance papa.

Maman lui jette un regard noir et dit :

– Je ne crois pas, non.

(Je la soutiens.)

Au moins, papa a pris la voiture et je ne suis pas obligé de rentrer à pied avec cette brosse qui me sort de la tête. (C'est un soulagement.)

Je peux donc éviter le REGARD des gens, qui se demandent ce que j'ai fabriqué.
Mais je ne peux pas éviter Délia.
Quand on arrive à la maison, les parents lui racontent à quel point le groupe des profs était MARRANT.

Délia ne les écoute pas. Elle est trop occupée à me dévisager en secouant la tête.

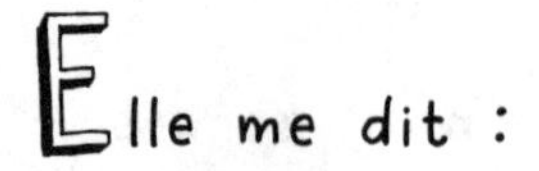

Elle me dit :

– Comment t'as fait ton affaire, pauvre tache ?

Je proteste :

– C'était un accident – un peu comme tes cheveux **VERTS**. Maman va m'aider à régler ça maintenant.

Mais, avant que je puisse déterminer comment ma mère va EFFECTIVEMENT procéder (en DÉCOUPANT la brosse ?), elle surgit soudain, des ciseaux à la main.

Et elle fait comme ça :

COUPE ! COUPE !

Puis, après encore quelques coups... de... ciseaux...

C'est terminé. Je garde les yeux fermés jusqu'à ce que maman déclare :

– Ça y est, tout est parti.

Je vais jeter un coup d'œil dans la glace pour voir ce qu'elle a fait exactement.

Et elle a raison…

Tout est effectivement parti.

Gloup.

Délia me surprend en train de regarder mes cheveux. Je m'attends à ce qu'elle me dise des HORREURS, comme d'habitude, mais elle me souffle :

- T'inquiète, ça repoussera... **un jour.**

Ce qui n'est pas du tout le ***pire*** truc qu'elle aurait pu dire, non ?

Je monte enfiler mon pyjama, et puis je pense à mettre Derek au courant des dernières nouvelles – je fais un petit dessin rapide et le colle contre ma fenêtre.

Papa et maman viennent tous les deux me souhaiter bonne nuit. Ils m'assurent que ça me va très bien d'avoir les cheveux plus courts. (Je ne sais pas trop.)

Je trouve que ça fait un peu bizarre, non ?

Je suis donc couché dans mon lit et j'essaye de m'endormir. Mais je n'arrête pas de penser à :

1. **VOUS3** - trop drôle !

2. Mes cheveux COUPÉS.

Si je dois m'asseoir à côté de Marcus (quand il arrêtera de se gratter et reviendra à l'école) avec mes cheveux comme ça, c'est sûr : il va passer son temps à faire des blagues stupides.

Et ça me rendra

DINGUE.

T'as passé la tondeuse
ce week-end ?

T'inquiète, bientôt,
t'en auras plus.

Et puis, tout à coup, j'ai carrément **L'IDÉE DU SIÈCLE** qui me vient comme un ***FLASH.***

Je saute vite fait de mon lit et j'attrape un peigne.

En attendant que mes cheveux repoussent un peu, je devrais peut-être faire ça ?

Voyons si ça marche...

OH OUI !
Changer de côté

Si je peux me permettre...

(Merci... merci.)

Comment fabriquer un PÉTARD EN PAPIER

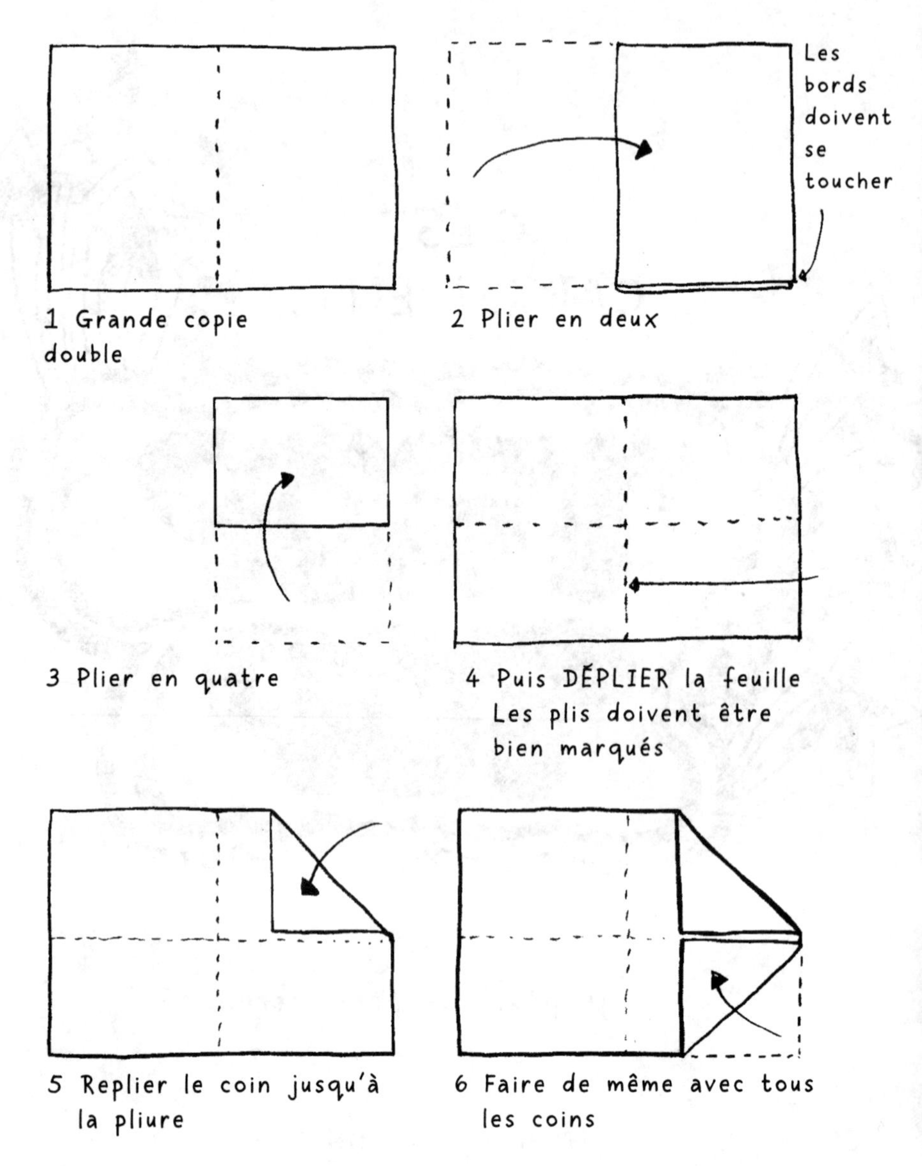
Les bords doivent se toucher
1 Grande copie double
2 Plier en deux
3 Plier en quatre
4 Puis DÉPLIER la feuille Les plis doivent être bien marqués
5 Replier le coin jusqu'à la pliure
6 Faire de même avec tous les coins

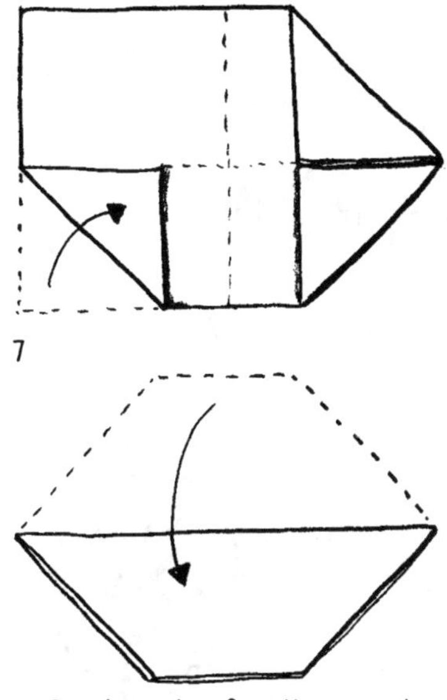

7

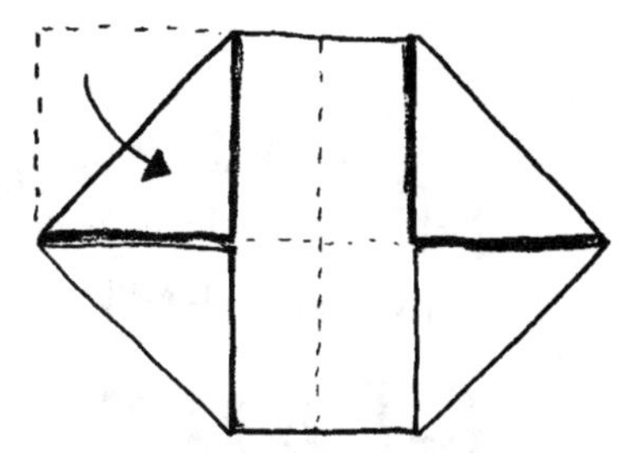

8 Ta feuille doit ressembler à ça

9 Replier la feuille en deux, rabattre à l'intérieur

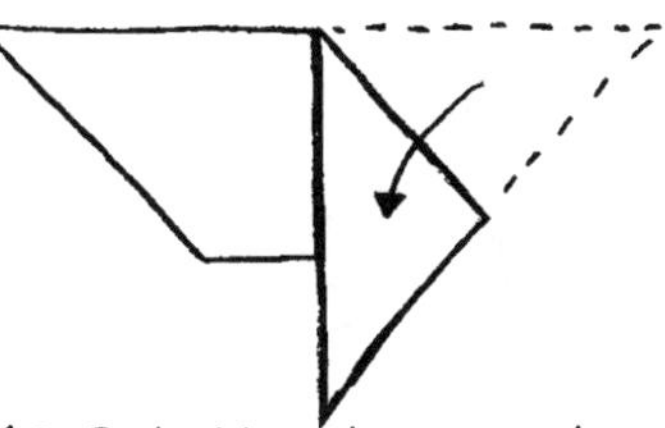

10 Rabattre le coin droit vers le milieu

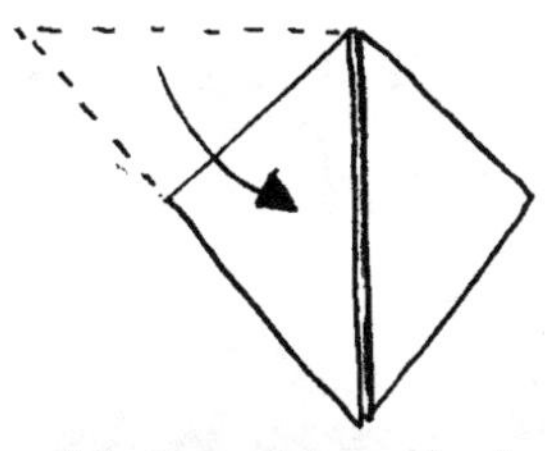

11 Rabattre l'autre côté de même

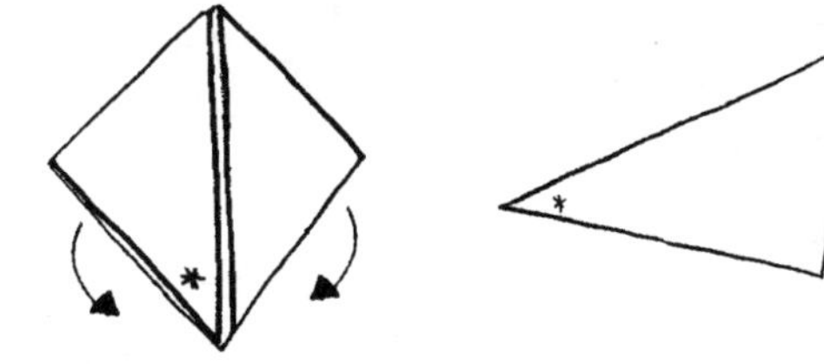

12 Plier le pétard en deux, tenir par le coin marqué et frapper l'air très fort

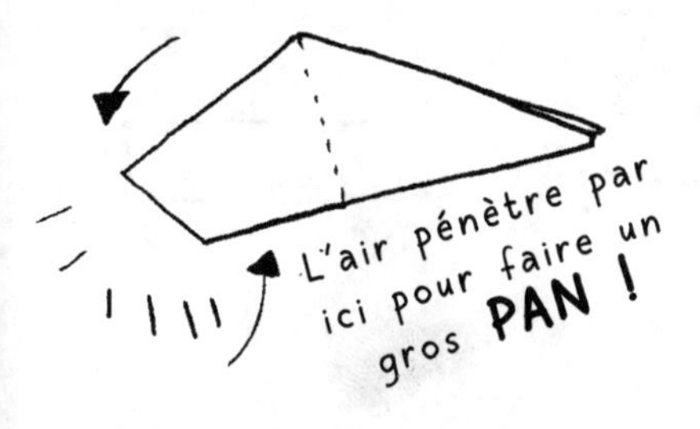

PAN !

QUESTION :
Comment EMPÊCHER un sablé
GÉANT de te dévorer ?

Argh !

TOM GATES
C'EST MOI !
100% RIGOLO
Liz Pichon
TOM GATES
EXCUSES BÉTON
100% RIGOLO
Liz Pichon
TOM GATES
Tout est GÉNIAL
Liz Pichon

RÉPONSE :

Donne-lui le DERNIER Tom Gates...

Heureusement que Joël nous a filmés aussi pour notre clip, parce que la vidéo que M. Fingle nous a aidés à faire n'est pas très utilisable.

Pour des raisons évidentes...

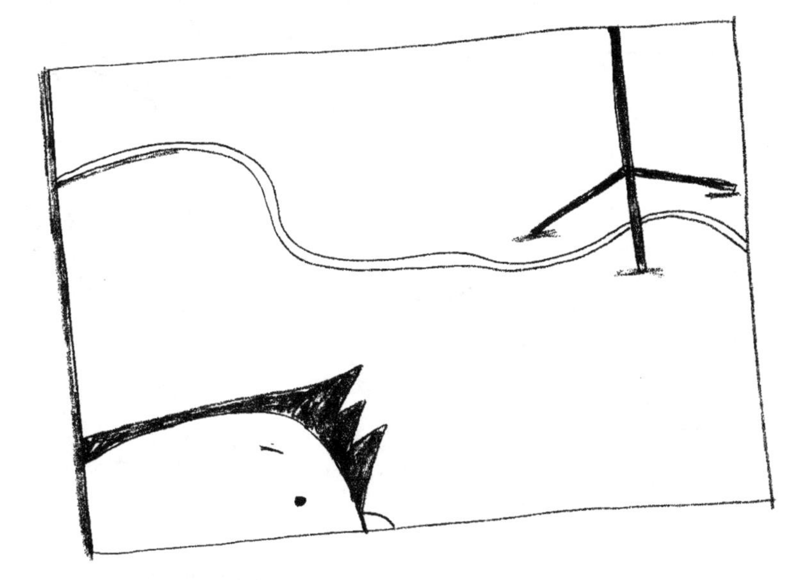

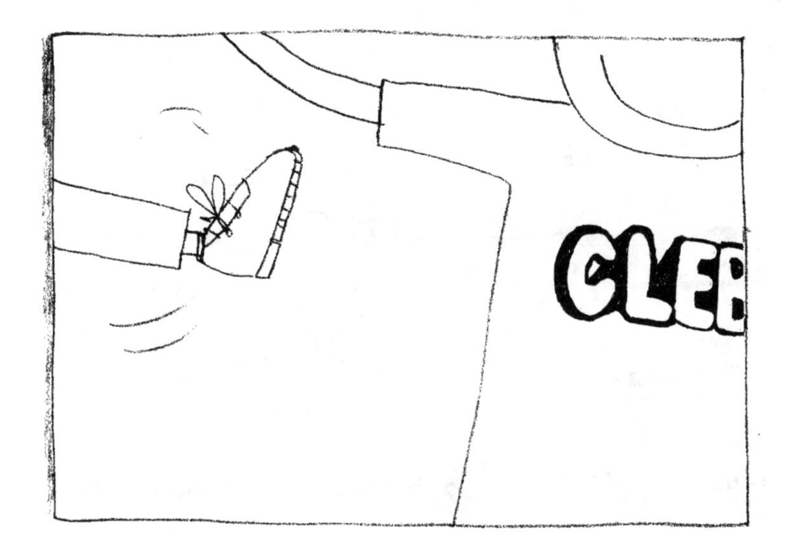
CLEB

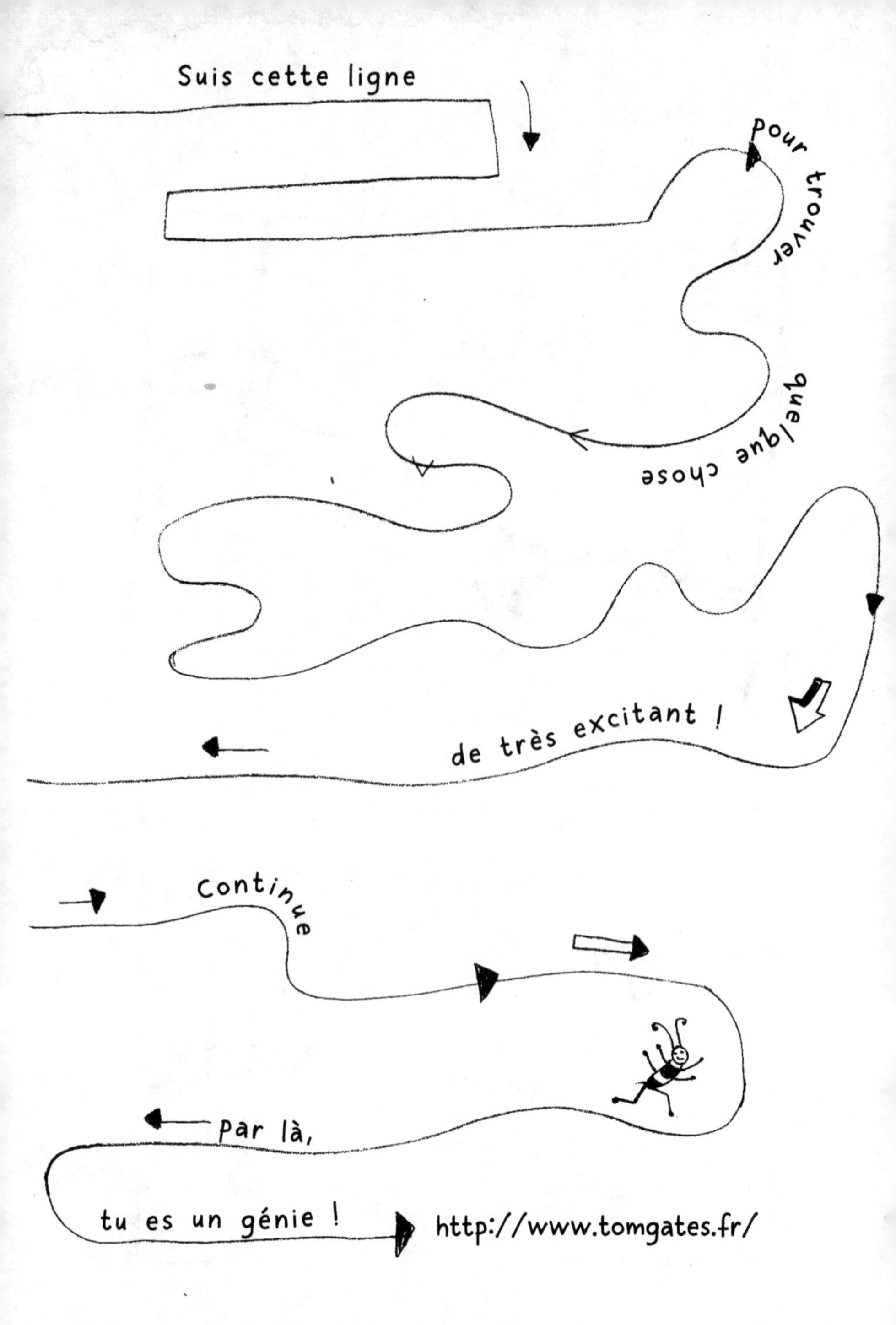

Achevé d'imprimer en mai 2016 par Normandie Roto Impression s.a.s. à Lonrai
Dépôt légal : mars 2014 - N° 113968-6 - N° d impression : 1602472 - Imprimé en France